KB171851

수요일의 하품

발　행 | 2024년 08월 21일
저　자 | 김선경 김신옥진 김주연A 김주연B 김지유 김혜영 박민원 이혜경 인선화 황선희
도　움 | 김현주 주미란 계선미 윤옥 윤정현
발행인 | 해오름 사회적협동조합
펴낸이 | 한건희
펴낸곳 | 주식회사 부크크
출판사등록 | 2014.07.15.(제2014-16호)
주　소 | 서울특별시 금천구 가산디지털1로 119 SK트윈타워 A동 305호
전　화 | 1670-8316
이메일 | info@bookk.co.kr

ISBN | 979-11-419-0127-1

www.bookk.co.kr

수요일의 하늘

CONTENT

2장. 서툴게 꿰맨 첫 조각보 김신옥진

3장. 나의 마음 김주연 A

5장. 야트막한 언덕에 서서 김지유

6장. 버티고 있습니다 김혜영

8장. 나, 당신 안아줄래요 이혜경

9장. 밉다 고맙다 그리고 사랑한다 인선화

프롤로그

매일 하루에 한 번 이상 보는 거울, 우리는 거울을 왜 볼까? 옷매무새를 가다듬고, 단정하고, 깔끔한 모습으로 너를 만나고 싶은 나의 마음이리라!

그럼 그렇게 외모를 가다듬는 마음은 무슨 의도일까? 그것은 사회적으로 연결된 관계의 사람들에게 더 나은 모습과 더 나은 태도, 더 좋은 관계를 형성하고자 하는 마음이 내재되어 있다. 우리는 한 번 생각하는 검증에 앞서 말이나 행동을 즉석으로 하게 되면 실수를 할 때가 종종 있다.

글은 그렇게 외부로 드러나기 전 모습을 거울처럼 보는 것과 같다.

우리들의 마음도 하나의 마음만 있는 것이 아니다. 심리에는 기저 심리나 방어기제들이 작동하기에 숨겨진 마음들이 있다. 그래서 '내 속엔 내가 너무도 많아 당신의 쉴 곳 없네'라는 노래처럼 스스로 감춰진 마음을 잘 인식하지 못할 때가 많다.

시는 그렇게 감춰진 마음을 은유적, 비유적으로 노래한다. 재해석은 그 기저에 담긴 마음을 한 번 더 거울처럼 들여다보는 시간을 갖는다. 짝수 페이지는 시를 담았고, 홀수 페이지는 그 시에 대한 해석적 의미를 담았다. 시를 통하여 감정의 두드림을 거울처럼 마주하였다면, 재해석된 시를 통하여 그 감정이 일어난 속마음, 곧 한 번 안아주고픈 속마음을 담았다.

그리고 자신에게 쓰는 가장 긍정적이고, 아름다운 모습으로 만나는 편지글을 시로 표현하였고, 에세이를 통하여 기억을 떠올리며 과거로의 여행을 떠났다.

삶이 깊어진다는 것은 무엇일까?

그것은 품격 있는 삶, 곧 선한 영향력과 아름다운 삶을 통하여 사람에게서 향기가 난다는 것과 같다. 삶이 영근다고 하였듯이 그것은 하루아침에 이루어지는 열매가 아니다. 그 속에는 마치 조나단 갈매기처럼 더 높이, 더 멀리, 더 빠르게 날기 위하여 날개 속에 감추어진 상처와 아픔, 눈물과 고통, 이별과 질고의 시간들이 녹아 있다.

그러나 인생이 아름다운 것은 그런 빛이 가려진 순간들 속에서도 구름 밖으로 햇살이 비추이듯 미소와 기쁨, 위로와 따뜻함, 사랑과 행복들이 너와 나 그리고 우리라는 관계를 통하여 오고 가는 인연들이 연결되어 있기 때문이다.

바로 그렇게 숨겨진 이야기들이 여기 10명의 작가를 통하여 드러난다. 삶이란 이럴 때도 있지만, 반면에 저럴 때도 있다는 것을 또 다른 목소리를 통하여 들려준다. 인생은 이렇게 살아볼 만한 가치와 의미가 있다고 말이다.

10명이 써 내려간 작가들의 소중한 글을 읽으면서 마음은 요동친다. 아프기도 하면서 잔잔한 음악처럼 공감과 힐링, 위로와 행복을 선사하기에. 이렇게 훌륭한 작품을 완성한 10명의 작가분에게 깊은 감사와 함께 축하를 드린다. 그리고 이 아름다운 책을 더 많은 우리들의 이웃과 함께 나누기를 추천드린다.

그렇게 무더웠던 여름도 따가운 햇살에 자리를 비켜주는
어느 가을 초입에 쓰다!

윤 정 현

JB,KIM, 이유 있는 자리, Canon 5Dmark 2, 2022.

1장

당신도 그러하다니, 참 고맙습니다

김선경

당신도 그러하다니, 참 고맙습니다

작가 김선경

작가의 사명

나는 친구를 무엇이라 쓰는가?

다음에 태어나면

하루

다람쥐의 겨울잠

가슴 저민 엄마

오늘은 미워할게

내린 눈이 밤에 빛나는 이유

여섯 살 아들에게 위로 받던 날

굿모닝!

모두 굿모닝?

피아노의 운명

굿모닝? 노랑아!

작가의 사명

생각하는 것
그것을 너와 내가 되어 바라보고
정직하게 읊어내어
기어이 안녕하는 것 ;

나는 친구를 무엇이라 쓰는가?

친구가 없는 것도 아닌데
친구를 쓰려고 하니 도무지 없다.

누구를 불러내어 써볼까?

친했지만 꺼내기 싫은 이름의 이유는,
아직 옭아맨 감정이 남아있구나.
일주일 두어 번 연락하면서도 쉽게 꺼내지 못하는 이유는,
부탁만 했었던 미안함의 무게이구나.
불러낼 친구가 없는 걸까 슬퍼질 즈음
소리치며 내 앞에 달려온 친구!

가까이 살아도 만나지 못하고,
몇 번의 약속을 다른 것에 내주어도
"괜찮아, 약속은 또 하면 되지 뭐"
그렇게 말해도 미워지지 않는...

친구는 그렇게
너라고 쓴다.
나라고 쓴다.
편한 엮어짐이라고 쓴다.

다음에 태어나면

다음에 태어나면
나는 너랑 살고 싶다.

내가
남자이든
여자이든 상관없어

마음 통하는 너와 매일 이야기하고,
좋아하는 게 많이 닮은 너랑 살고 싶다.

그래
그러자, 친구야!

화려하지 않으면 어때
우리가 가진 소신이 있는 걸.
슬프면 말없이 손 꼭 잡아주고,
미리 손수건 준비해서 눈물 닦아주는
네가 있는 걸.

누구보다 기뻐하며
나 대신 자랑하고 뽐내어 주는 걸.
아무것 툭 하나 걸치고 나가도
세상 예쁘다고 말해주는
네가 있는 걸.

하루

우리 막둥이는 왜 그리 바쁘니?

아빠의 말씀처럼
다람쥐 같이 뛰어다녔다.

무엇을 숨기려고,
얼마나 모으고 감춰두려고.

오늘도 가진 에너지를 땅속에 묻었다.

하루가
24시간이었던가?

놓친 것은 보지 못하고,
모으지 못한 것만 보며 달렸다.

어디에 모아 두었는지,
무엇을 모아 두었는지,

알고는 사는 걸까?

다람쥐의 겨울잠

분주한 나를 보고
다람쥐 같다고 했다.

몰랐다.

내가 그렇게 바쁜 이유를

생각해보니
나는 나를 위한 시간들을 채우기 위해 바빴고,
다른 이들을 위해 시간을 내어주느라 바빴고,
그렇게 하는 것이 당연하다고 믿었다.

그런데,

지침의 일상들이
지켜보는 사람들에게도
숨 쉴 틈을 주지 않았나 보다.

나는 여전히 부족하다 여겨지고,
다른 이를 위한 내어줌도 부질없는 일인 것을
한 참이 지난 뒤에 알게 되었다.

겨울잠이 필요한 시간
오늘은 긴 숙면의 길로 가는 선택을 해본다.

가슴 저민 엄마

지나가는 간호사를 부릅니다.
"이거 우리 딸이 그린 거예요."
치료하러 들이 온 선생님께 말합니다.
"이거 예쁜데 하나 줄까요? 우리 딸이 만들었어요."

엄마에게 나는 자랑스러운 딸이었네요.

엄마의 휠체어를 밀고 병원을 돌다 마주한 구석도서관
몇 권의 책을 골라옵니다.
엄마에게 책을 읽어 드리며,
중간 중간 질문도 합니다.
누가 나오는지, 무얼 했는지
나는 엄마의 기억을 붙잡고 있어요.

그러나 엄마의 견우직녀에는 그리운 이름들만 나오네요.
광심이, 광자, 인권이 그리고…. 선주!

자꾸 엄마의 목소리가 작아집니다.
모습도 흐려집니다.
이불을 덮어드리고 그 옆 간이침대에 나도 눕습니다.

또 그립습니다.

나에게 엄마는 어린 딸을 못 놓는
가슴 저민 엄마입니다.

오늘은 미워할게

금방 괜찮을 거야
믿음이 아니고 사실이라는 생각에
눈곱만큼도 반박이 없던 엄마의 병원생활

시간마다
만들기, 그리기, 책 읽어 드리며
진작 이렇게 할 것을,
좀 더 많이 엄마와 해볼 것을 후회하며
노닥노닥 이야기한다.

"나가면 무엇을 하고 싶어?"라고 물었지만
'나가면 뭘 하실 수 있을까?' 나지막이 했던 혼잣말

집도 정리되었고,
주간보호센터도 연락해 두었고,
퇴원 준비로 바빴던 언니들의 수고도 뒤로하고
엄마의 퇴원 소식을 기다렸던 소망이
무너져버렸다.

매일 밤 불편한지 몰랐던 보호자 간이침대는
엄마가 있어서였는데….
버텨주지 않은 엄마가 원망스럽다.

오늘은 엄마를 미워할게
엄마가 미안하고 속상하도록 많이 미워할게

내린 눈이 밤에 빛나는 이유

눈이 살포시 내려앉은 검은 밤
작은 손 아들과 함께 걷고 있었다.

아무 말 없이
슬픔으로 가득 찼던 그 밤길에
아들이 말을 걸어온다.

엄마!
밤이면 눈이 빛나는 이유를 알아?

그건 바로
눈이 떨어질 때
하늘에 있는 별가루가 묻어서 그래.

아, 그랬구나!

그날 밤
빛나는 별가루들을 밟으며
슬픔은 위로로 가득 찼다.

여섯 살 아들에게 위로받던 날

속상한 기색이 보이면
슬퍼하는 모습이 보이면
힘없는 말소리가 들리면
슬며시 와 손을 꼭 잡아준다.

마음 추스르려
주섬주섬 옷을 입고 나가는 길에
먼저 신발 신고 앞에 서 있던
작은아들의 큰마음을 뿌리칠 수 없어
말 없는 동행의 시간을 갖는다.

적막한 고요함을 깨고
질문하는 아들의 아름다운 눈을 통해
어느 힘들던 겨울밤이
한없이 따뜻해졌다.

별가루가 묻어서 내린 눈은
아름다운 여섯 살 아들의 눈을 통해
내 마음으로 들어와 별이 되었다.

굿모닝!

굿모닝!
날 좋은 수요일입니다.

병원은 나를 더욱 부지런히 만들고,
가져다주는 식사와 몸 살핌의 치료까지
사람들이 말하는 호강 중입니다.

병실 창문을 열어 환기하고,
샤워를 마치고 나니 일곱 시 삼십 분
아침 식사가 도착합니다.

조그맣게 좋아하는 노래를 들으며
나온 반찬을 확인하며 아침밥을 먹던 중에
'꼭꼭 먹어야지, 맛나게 먹어라, 가리지 말고….'
병원에 계셨던 엄마의 외로움과 힘듦이
내게 스며옵니다.

혼자,
밥이나 차려 먹고 싶으셨을까?
밤새,
그리운 사람 생각하며 속절없는 사람이라고 원망하셨을까?
누구의,
마음들을 꺼내 보다가 펑펑 눈물 쏟고 마셨을까?

더 이상 넘어가지 않습니다.

두어 숟가락의 탄수화물이
오늘 나를 지탱할 에너지가 되어주기를 이기적으로 바래봅니다.

너무 늦으면 안 되는 이름!
엄마, 아빠, 그리고 나.

모두 굿모닝?

원하지 않았지만 일어나는 일들이 많습니다. 교통사고도 그 중 하나였네요. 바쁜 거 내려놓고 입원해서 치료받으며 좀 쉬라며 걱정해주는 사람들의 '어려운 말'처럼 그러고 싶었습니다. 그러나, 몇 가지의 책과 노트북, 휴대폰의 울림들, 그리고 순간순간 툭 던져지는 마주하기 힘든 기억들이 호강으로 느껴지는 시간을 잘라버립니다. 두세 달 엄마의 병원 생활…. 살고자 하는 의지가 없다고 말하는 의사에게 소리 지르며 상담을 박차고 나왔던 그 날이 아직도 억울합니다. 그랬던 엄마의 순간들에서 밥도 먹지 않고, 이별을 일찍 고하고 떠난 아빠를 원망하고, 가슴에 묻는다는 자식의 죽음이 받아들여지지 않았음을 잃어버렸습니다. 모른 척 외면했던 엄마의 힘듦에 죄책감이 듭니다.

"엄마, 오늘은 우리 모두 굿모닝하자!"
뒤늦은 굿모닝을 자꾸 외쳐 봅니다.

피아노의 운명

어린 시절 엄마를 졸라 피아노 학원에 다닌 적이 있다. 네모반듯한 노란 가방에 'ㅇㅇ피아노학원' 이라고 적힌 글씨가 좀 있어 보였다. 우리 집은 무허가 판자촌이 다닥다닥 모여 있던 변두리 동네였고, 길 건너는 연립주택들이 있었다. 길 건너 사는 아이들이 늘 부러웠는데, 부러움의 이유 중 하나가 피아노 가방이었던 유년 시절…. 난 피아노를 배우게 됐다. 그러나 6개월인가 간신히 배우고 그 가방의 무게가 무겁게 느껴졌을 때 나는 피아노 배우기를 그만두었다.

아이들이 자라고 어린이집 다닐 무렵 악기 하나는 다뤄야지 않겠나 싶어 나의 숙제를 마저 하려 듯 슬쩍 피아노 학원을 보냈다. 누르면 서로 다른 소리를 내는 피아노가 마치 놀잇감인 양 아이들은 신기해하고 좋아했다. 성공이다! 아이들이 더 자라면 내가 원하는 곡을 모두 쳐 줄 날이 올 것이라는 기대감에 피아노를 사주었다. 그때 당시 280만 원쯤 주었던가? 고가의 피아노가 서울 끝자락 우리 집까지 밀려 왔다. 넉넉지 않던 그때, 피아노는 우리 집 가장 비싼 물건이었다. 가치는 그 이상이었기에 먼지도 잘 닦고 피아노 위에 예쁜 천도 덮어 애지중지했던 나!

큰아이는 종로에서 악보를 사 왔다. 겨울이면 캐럴을, 드라마 행이면 테마곡을, 애니메이션 주제곡도 잊지 않고 사다가 즐겁게 피아노를 쳤다. 악보대로 안되면 코드 중심으로 바꿔치기도 했다. 작은애는 달랐다. 악보에 충실해서 도무지 피아노 치는 곡이 내가 아는 그 곡이 맞는지 다시 물어보는 일이 많았다. 기교 없이 충실했던 피아노 소리를 들어본 적 있던가?

덩그러니 남은 피아노. 공간 차지하니 처리하자고 한다. 처리가 마치 처치처럼 들린다. 당근마켓, 중고판매, 층간소음은 어떻게 할 건데? 아이들도 남편도 다들 처치하기로 마음먹고 결의했나보다.

나는 피아노를 살리기로 했다. 내가 배워 보지 뭐. 밤늦게 들어가는 일, 주말도 나오는 일을 줄일 이유가 생겼다. 당장 시작은 어렵겠지만, 나는 피아노를 처치하지 않고 살리기로 했다. 피아노 뚜껑을 오랫동안 열지 않아 건반에 곰팡이가 났으면 어떻게 하지? 오늘은 집에 가서 열어봐야겠다. 그리고 속삭여줘야지. "걱정 하지 마, 내가 너를 살려 줄게."

피아노 상념

없는 살림에 막내딸 아이 하고 싶다면 다 해주시던 엄마와 아빠가 계셨다. 비좁은 방엔 바닥이나 책상에 얹어놓고 치는 중고 오르간이 우리 집에 왔을 때, 언니들은 나를 부러워했다. 이런 일들은 여러 번 있었는데, 한번은 침대에서 자고 싶다고 했더니 아빠는 매트리스를 구해오셨다. 덕분에 방이 더 비좁아져서 언니들에게 구박을 받기도 했지만, 나는 그 위에서 뛰어노는 걸 참으로 좋아했다. 아마도 이 중고의 물건들은 아빠의 손에 걸쳐 다시 살아났겠구나 싶다. 이런 마음이 내게 그대로 유전되었다.

주말이면 번갈아 쳐주던 아이들의 피아노 소리가 듣고 싶다. 내가 부침개라도 부치는 날에는 노동요처럼 흥겹게 들려 마냥 신났던 피아노 소리. 딸아이 피아노곡에 크게 노래 부르고, 아들 피아노곡은 들으며 곰곰이 생각해야 했던 날들!

그렇게 그리움은 여러 가지 물건들에 전도되어 남아있다.

굿모닝? 노랑아!

오늘도 바빴니?

다이어리에 할 일을 번호 매겨가며 빼곡히 쓰는 습관은 여전하겠지. 다만 빼곡히 쓴 할 일 중 쉼도 포함되어 있기를 바랄게.

시작한 글쓰기는 정점에 다다라 있겠구나! 다음 책도 기대하고 있어. 매일 글쓰기에 성실하더니, 네가 원하는 하나의 큰 목표도 이루었네.
이렇게 매일 해보는 것은 대단한 일이야.
만약 네가 또 날마다 통해 이루고 싶은 건 뭐야?
그리고 그렇게 이루었을 때 기분은 어땠어?

나도 그런 느낌을 느껴보려면 성실히 행동으로 옮겨봐야겠지.

하지만,
내가 보는 너는 너무 치열하게 사는 것 같아.
정말 좀 자신을 위해 아무것도 하지 않을 때도 있어야 해.

내가 "인제 그만"이라고 시그널 보내면,
너는 "눈감을게" 하고 외쳐야 해!
그래야 또다시 너의 태양 같은 열정이 세상에 빛나고,
세상을 빛나게 도울 테니까.
그럼 안녕~

오늘도 너에게 "안녕하고 있지?"라고 묻는 내가

OJ.KIMSHIN, 통영 iPhone 13mini 매일매일 Happy New Year!

2장

서툴게 꿰맨 첫 조각보

김신옥진

서툴게 꿰맨 첫 조각보

작가 김신옥진

작가의 사명
내 꿈은 콜라주
무의식이 만들어 낸 콜라주
가족
뿌리 내리다
바나나와 할머니
할머니와 바나나
거리에서 우연히 들려오는
다른 사람들 말을 엿듣는 것을 좋아합니다 1
거리의 말이 글이 되기까지
엄마가 그랬다
어머님 말씀
일곱 살에 철든 내 아들
선택의 길

작가의 사명

쓰는 행위를 통해
나의 감정과 생각을 들여다보고
깨달은 진리를
삶 속에서 실천하고 행동하는 것

세상과 소통하며 공급받고,
내 속에서 무르익은 것들을
세상에 다시 내어놓는 것 ;

내 꿈은 콜라주

내 꿈은 콜라주
내 꿈은 총천연색 콜라주
무의식이라는 잡지 2024년 7월호
에서도 오려 붙이고
무의식이라는 잡지 2001년 3월호
에서도 골라 붙이고
무의식이라는 잡지 1991년 9월호
에서도 찢어 붙이고
그게 모두 한 장면

무의식이 만들어 낸 콜라주

꿈에
어제 갔던 공원으로
2001년에 스무 살인 내가
1991년에 일곱 살인
나보다 두 살 어린 내 동생을 데리고 간다.

나는 왜 이런 말도 안 되는 꿈을 꾸는가?
내 꿈은 비논리적이고, 비합리적인 경우가 많다.

하지만 한 장면에 나온 뭔가 공통점은 있겠지?
무의식 저 아래에서
이 공통점으로 이렇게 묶였다가,
저 공통점으로 저렇게 묶였다가.
한 장면에 짠~

어떤 제목은
그리운 시절,
어떤 제목은
꿈인가 생시인가,

무의식이 만들어 낸 콜라주

가족

스무 살에
서울에 와서
땅에 발이 닿지 않는 것 같은 느낌으로
뿌리 없이
둥둥 떠다니는 것 같다고
생각하던 시기가
길었다.

엄마, 아빠,
때론 동생까지
가족을 만나고
서울로 돌아오는
동대구역에서는
항상,
눈물이 찔끔 났다.

내가 선택받은 가족이 아닌
내가 선택한 가족이 생기고 나서도
눈물이 찔끔 나는 일은
또 여전히 있지만,

이제는 서울에도 내 가족이 있다.
새로운 가족과 함께
'친정'에 가고,
'남편'과 '시댁'이라는 가족이 있는
서울에 내 가족이 있다.

뿌리 내리다

늘 꿈꾸었던 서울인데
그래서 나는 스무 살 꽃이 되어
서울에 왔는데,
서울은 화병(花甁)이었다.
꽃은 뿌리가 있어야 하고,
땅에 심겨 있어야 한다는 걸
그제야 알았다.
스무 살이 되기 전부터
가끔 찔끔 양분을 얻어 오기도 하고,
찔끔 자가발전도 하면서 살아오다,

스무 살에서 X2 나이 가까이 되어서
줄기를 툭 꽂아두면
뿌리를 내릴 줄 알게 되었다.
포근한 흙이 뿌리를 감싼다.

바나나와 할머니

흔하고 부담감 없이
살 수 있는 과일
바나나

내가 어렸을 때는
꽤 비싼 열대과일이었다.

뭘 잘 먹지 않던 내가
그래도 잘 먹던 게
바나나

할머니는 손녀에게,
바나나를 양껏
사주고 싶었지만
비싼 과일이라 사주기 어려웠다.

그래서 가끔
리어카에서 갈색으로 변한
바나나를, 그게 더 맛있다고
설명하시며
사주셨고,

큰할아버지를 뵙고
일본에서 돌아올 때
생물은 가지고 들어올 수 없어서
껍질을 다 까서 큰 타파통
한 통을 가지고 오셨던
우리 할머니, 할아버지

바나나를 보면
할머니가 생각이 난다.
할머니를 떠올릴 수 있게
흔하게 볼 수 있는 바나나라
참 다행이다.

할머니와 바나나

요즘은,
바나나는 제철을 타는 것도 아니고,
가격변동도 크지 않고,
별 특색 없고 매력 없는 과일이지

내가 어렸을 때는,
어린이 입맛에
환장할 가져다주는 과일이었다.

밥그릇을 들고 쫓아다니며 먹여야 하고,
제비처럼 받아먹은 것도
입안 요리조리 숨겼다가
끝없이 꾸역꾸역 뱉어내는 재주가 있었던 내가
그래도 잘 먹던 게 바나나

비싼 과일만 잘 먹으니
할머니는 환장할 노릇.

가끔 북부정류장 같은데 리어카에서
갈변하고, 점박이가 된 바나나를 팔았는데,
내가 보기엔 징그러웠지만,

이런 게 더 맛있다고 하는
할머니의 마음을 거절할 수가 없었다.

일본 친척 방문에서 돌아온 할아버지, 할머니 손엔
손자, 손녀를 위한 진귀한 물건이 가득했는데,
그중에서도 큰 타파통에 벌거벗은 채 가득 차 있던
바나나가 기억난다.
물러버린 바나나였지만
그 희고 벌거벗고 가득 찬 바나나는 경이롭고 감동이었다.

그걸 하나하나 까서
차곡차곡 담았을
할머니, 할아버지 모습이
그립다.

그러고 보면
내가 좋아해서 할머니가 사줬는지,
할머니가 사줘서 내가 좋아했는지.
내가 잘 먹어서 할머니가 사줬는지,
할머니가 사줘서 내가 잘 먹었는지.

거리에서 우연히 들려오는 다른 사람들 말을 엿듣는 것을 좋아합니다 1

"거기까지 차 타고 가,
걸어가지 마."
한 할머니가
다른 할머니에게
손 흔들며~ 헤어지며~
말씀하십니다.

두 분은 무슨 사이일까요?
다정한 말,
서로의 늙음을 이해하는 사이.
힘들 것도 알고,
돈 아끼려고
힘들어도 걸어갈 수도 있다는 걸
서로, 아는 사이.
오랜 친구일 가능성이
가장 커 보입니다.

어쩌면 함께 늙어가는 엄마와
딸 일지도 모릅니다.
둘은 이제

"거기까지 차 타고 가,
걸어가지 마."를
딸이 엄마에게 말해도,
엄마가 딸에게 말해도
이상하지 않은 둘 다 할머니들.

어쩌면 시누이와 올케일지도
모르겠습니다.
긴긴 세월 함께 보내고
이제는 친구가 된,
예전에는 시누이, 예전에는 올케 사이.

거리의 말이 글이 되기까지

이어폰을 끼지 않고
맨 귀로 있으면
거리에서 재미있는 이야기를
많이 들을 수 있다.

어린이집 다녀오는 꼬맹이의 재잘거림,
교복 입은 아이들의 왁자지껄함,
시장 상인들의 위트,
등
그중에서 난 어르신들의 이야기가 재미있다.

어르신들의 이야기는 재미있다.
TV 다큐멘터리에 나오는 어르신들이 이야기도 재미있고,
우리 할머니가 하는 이야기도 재미있다.
그렇게 위트가 있고,
풍자와 해학이 가득하고,
삶의 철학이 담겨 있을 수 없다.

우리 할머니가 말씀하신
"배고프게 다니지 마래이~"
잘 챙겨 먹고 다니라는 것보다
얼마나 재미있고, 멋있는 말인가?
이 말도 언제가 내 글로 탄생할 것이다.

길에서 들은
“거기까지 차타고 가,
걸어가지 마.”는
시가 되었다.

한 마디 말이
시가 되고,
에세이가 되고,
소설이 되고,
희곡이 되고,
시나리오가 될 수 있다.

엄마가 그랬다

엄마가 그랬다
벼는 익을수록 머리를 숙이는 거라고
동생한테 잘난 척 좀 그만하라고

엄마가 그랬다
물 흐르듯 살라고
작은 것에 아글타글 좀 하지 말라고

엄마가 그랬다
거짓말 좀 하지 말라고
니 멋대로 이야기를 지어내지 말라고

엄마가 그랬다
우리가 앞으로 살면서 백 번이나 더 보겠느냐고

난 지금도
약자에게 잘난 척하고,
사소한 일에 아글타글하고,
내가 유리한 대로 거짓말을 하고,
엄마에게 가끔 연락한다.

엄마 말대로
강자에게 잘나고,
큰일에 최선을 다하고,
멋진 스토리텔링으로 사람들의 맘을 사로잡고,
엄마한테 자주 연락해야지.

어머님 말씀

어릴 때 공부를 잘했던 나는
공부를 못 했던 동생을
쥐잡듯이 무시했던 것 같다.
잘난 척 한다는 건 내가 혼나는 몇몇 이유 중의 하나.

어릴 때 숙제 하나, 준비물 하나 안 챙기면
갈갈 넘어갔던 나.
너무 그러지 말라고,
물이 흐르듯 자연스럽게,
흐르다가 바위를 만나면 바위 모양 따라 돌아가기도 하고
그렇게 살라고 했다.

열 살 때쯤 한참 거짓말을 많이 했던 것 같다.
꾸미고 싶은 게 생기고, 숨기고 싶은 게 생겼다.
누군가를 해치는 정도까지는 아니었지만,
누군가를 배려하지 않는 정도는 되었기 때문에,
무릎 꿇고 혼났던 기억도 있다.

이제 엄마는
잘난 척하지 마라,
안달복달하지 마라,
거짓말하지 마라,
고 하지는 않는다.
이제 내가 알아서 할 일.

함께 살면 일 년에 삼백육십 다섯 번 볼 텐데,
우리는 고작 일 년에 다섯 번도 안보네.
이제 잔소리가 많지 않은 어머니 말씀
잘 듣고, 또 잘 듣자.

일곱 살에 철든 내 아들

60년대 중후반, 아빠는 그때 일곱 살. 이름이 어려운 병이었는데, 갑자기 숨을 못 쉬어서 할머니가 촌에서 읍으로, 어디로 업고 뛰었고 병원에 갔더니 의사가 "조금만 더 늦었으면 아이는 죽었을 거"라고 말했다던 이야기를 어릴 때부터 여러 차례 들었다. 그 증거로 아빠 목에 있는 어렴풋한 흉터를 보여주는 게 그 이야기의 마무리였다. 그리고 그 이야기에 이어지는 스토리를 얼마 전에 들었다.

아빠는 대학병원에 입원했고, 할머니는 아빠 말고 다른 두 딸을 돌봐야 해서였는지, 남의 집 일을 가야 해서였는지 촌에 남아 있고, 대학병원에 입원한 일곱 살 아들을 돌보는 역할은 할아버지가 맡았다. 남의 집에 일을 다니던 형편이라 할아버지는 밥을 사 먹을 수가 없었고, 밥을 사 먹는다는 것도 어색했다. 다행히 일곱 살 아빠는 환자식으로 나오는 병원 밥 한 그릇을 다 먹지 못했고, 늘 반만 먹고 물리면 남긴 밥을 할아버지가 드시며 며칠을 보냈다고 했다. 아빠가 일곱 살이었으면 할아버지는 삼십 대 초반이었을 텐데 병원 밥 절반을 드시고 얼마나 배가 고프셨을까?

병실에는 아빠와 같은 수술을 받고 입원한 동갑내기가 있었는데, 하루 먼저 퇴원을 하게 되었다고 한다. 근데 오전에 퇴원하게 될 줄 모르고 점심까지 신청해서 그 친구가 퇴원한 후에 환자식이 하나 남았고, 아빠와 할아버지 차지가 될 수 있었다. 그날 점심에 아빠는 입원 후 처음으로 밥 한 그릇을 뚝딱했단다.

스물둘에 나를 낳은 우리 아빠는 내 평생 지켜봤을 때, 때로는 철이 없다. 지금 할머니와 아빠는 함께 살고 계시는데, 지금도 밥해놓으면 나가고 없고, 가끔 할머니한테 버럭버럭한다.

그런데 할머니는 일곱 살에 철든 아들 이야기를 아들이 환갑이 넘은 지금도 한다. 50년도 더 넘은 그 일을 그렇게 웃음, 눈물 쏙 빼게 재미있게 하시는 것도 신기하다.

할머니는 한평생 아들 때문에 속이 상한 일 오만가지는 될 테지만, 일곱 살에 죽을 뻔하다 살린, 일곱 살에 철든 아들을 생각하며 참고 참고 사셨겠지.

선택의 길

넌 지금까지 살면서 많은 선택을 해왔고, 그 선택들은 지금의 너를 만들어 왔어.
좋은 선택들도 많았고, 물론 나쁜 선택들도 있었을 거야.
그래서 지금의 너는 좋은 점도 있고, 나쁜 점도 있지만 지금 너는 이 세상에서 유일하고, 누군가에게 소중한 사람이야.
때로 너 스스로가 마음에 들지 않고, 불안하고, 앞으로 무엇도 나아지지 않을 것 같은 무기력에 빠져 있고, 무엇도 잘할 수 없을 것 같은 때가 있었고, 앞으로도 있겠지.
하지만, 좀 별로여도 괜찮아. 그래도 세상에 네가 존재하는 의미가 있어.
그 의미는 지금까지 네가 만들어 왔고, 앞으로 네가 만들어 가면 돼.

주변의 존재들에게 감사하고, 나에게 감사하며 살자.

김주연. 자전거길에서 본 하늘. 2024. 07. 20.

3장

나의 마음

김주연 A

나의 마음

작가 김주연 A

작가의 사명
널 사랑하는 마음
존재의 행복
자전거
나의 선택
하늘
도움이 필요해!
어린이 수영장
어른이 될 수 있을까?
세상 속 참새
새장 속 참새
즐거움이 사라지는 슬픔
현재에 충실한 나에게

작가의 사명

내 생각과 감정을
글로 잘 풀어내어
읽는 이에게
공감을 주는 것 ;

널 사랑하는 마음

보고만 있어도 웃음이 나는 너
머릿속을 휘저어 생각을 멈출 수 없게 만드는 너
눈을 뜨고 감는 하루하루를 기쁨으로 물들여 주는 너

네가 행복하길 바라는 나의 마음을 몰라도 괜찮아
네 존재만으로 나는 행복하니까

존재의 행복

보고만 있어도 웃음이 나는 건
네가 존재하기 때문이야

생각을 멈출 수 없는 건
네가 존재하기 때문이야

기쁨의 감정을 느낄 수 있는 건
네가 존재하기 때문이야

나의 마음을 몰라도 괜찮은 건
네 존재로 내가 행복하기 때문이야

네가 살아 있기에 내가 행복하고
내가 살아 있기에 널 사랑할 수 있어

자전거

바람이 솔솔 불어오는 길을 달린다.
데굴데굴 굴러가는 바퀴는 내 힘이 원천이다.

냇가의 쿰쿰한 향기가 코끝을 강타한다.
오르막길을 올라가는 건 내 의지일 뿐이다.

땡볕에도
비가 내릴 때도
강한 바람에 몸이 휩쓸릴 때도
앞으로 나아가는 건 나의 선택이다.

반짝이는 거대한 다리와
숨통이 트이는 넓은 강가를 만나,
가쁜 숨을 토해내면
어느새 끝에 다다른다.

오늘도 나는 내 선택에 후회하지 않는다.

나의 선택

자전거를 타는 건 나의 선택
바퀴를 구르는 건 나의 선택
오르막길을 오르는 것도 나의 선택

땡볕에도
비가 내릴 때도
강한 바람이 불 때도
자전거를 타는 건 나의 선택

순간순간의 선택은 최선의 선택
후회를 하지 않는 것도 나의 선택일 뿐

하늘

하늘은 언제 어디서나 올려다볼 수 있다
두 팔로 안을 수 없는 하늘 속엔 무엇이 있을까

둥둥 떠다니는 구름과 반짝이는 햇살이 날 포근하게 안아줄 때
이슬 같은 물방울과 솜털 같은 눈덩이가 날 일깨워 줄 때

바람에 이끌려 이리저리 흔들려도
하늘만 있다면 한 걸음을 내딛는 건 어렵지 않겠지

도움이 필요해!

아장아장 걸을 때는 기쁨이 가득한 칭찬이 필요해
학교숙제를 할 때는 다정한 가르침이 필요해
어둑한 길을 걸을 때는 든든한 길잡이가 필요해
몸과 마음이 아플 때는 친절한 걱정이 필요해

자라기 위해서는 많은 도움이 필요하고
혼자서는 절대 성장할 수 없어

지금 난,
도움이 필요해!

어린이 수영장

푸른 물이 출렁
해맑은 웃음소리가 퍼진다.

따사로운 햇살이 출렁
모든 이를 반겨준다.

꼬르륵꼬르륵
넓은 수영장을 가르며 헤엄친다.

빨간 수영모가 출렁
삑삑 시끄러운 호루라기가 울린다.

높다란 담장이 출렁
어두운 그림자가 생겨난다.

훌쩍훌쩍
더 이상 수영장엔 들어갈 수 없다.

먼발치서 하하 호호 웃는 소리가 들린다.

어른이 될 수 있을까?

아이일 때는 누구나 반겨 주지만
성장하고 나면 아무도 반겨 주지 않는다

빨간 수영모와 높다란 담장을 뛰어넘어야
어른이 될 수 있지만 무섭고 외로울 뿐이다

박수와 응원은 아이들의 몫
아무도 환영하지 않는 몸만 자란 어른

누가 나의 그늘을 벗겨 줄 것인가
누가 나의 어깨를 두드려 줄 것인가
누가 나의 짐을 내려 줄 것인가

아직도 수영장에 풍덩 빠지고 싶은 아이일 뿐
어른이 되는 건 아직도 너무 먼 이야기

세상 속 참새

잔소리를 퍼붓는 목소리의 날카로움이
잘못된 것임을 알면서도 모르는 척

기대하지 않는 척 압박을 가함이
잘못된 것임을 알면서도 모르는 척

필요하면 이용하고 쓸모없으면 잘라냄이
잘못된 것임을 알면서도 모르는 척

혼자만의 이득을 위해 행동하는 것이
잘못된 것임을 알면서도 모르는 척

세상은 거대한 새장과 같아
날갯짓을 하지만 날아오를 수가 없고
스스로 깨부수지 않으면
날아오를 수 없는 이상한 세계

새장 속 참새

어릴 때부터 배워 온 도덕이 더는 중요한 가치가 아닐 때
우리는 어떻게 살아가야 할까?

새장 속에서 바라는 중요한 가치가 돈과 명예일 때
우리는 어떻게 살아가야 할까?

죽어가는 참새에게 새장 속을 바꿀 힘은 어디 있을까?

갑갑한 새장 안을 벗어나 훨훨 날아갈 수 없음이 비통하고
엉망인 새장 안을 무덤덤히 살아갈 수밖에 없음이 안타까울 뿐

어떻게 하면 새장을 바꿀 수 있을까?
어떻게 하면 새장 밖으로 날아갈 수 있을까?

즐거움이 사라지는 슬픔

우르르쾅쾅 고막이 터질 것 같은 음향이 귀를 때리고 번쩍번쩍 화려한 색상이 눈을 호강시킨다. 연기하는 사람의 우울한 표정과 절묘한 음악이 흐른다. 스산한 어둠이 내려앉아 절망에 다다른 포효가 울린다. 웃음이 빵빵 터지는 대사와 사랑에 빠질 수밖에 없는 행동이 나의 가슴을 두근거리게 한다.

중학생 시절 선생님이 틀어주던 비디오테이프 속 새로운 세상은 나를 매료시켰다. 책을 읽을 때와는 다른, 3차원의 세상으로 날 이끌었다.

영화감상은 나의 오래된 취미다. 지금은 영화를 보고 감상평을 남기는 취미를 가지고 있다.

이 취미생활은 나의 활력임에도 최근 영화관에 가지 못하고 있다. 코로나 시기로 인하여 급격하게 치솟은 영화가격과 쉽게 영화를 접할 수 있는 OTT 서비스가 우후죽순 생겨나며 나의 활력을 희미하게 만들었다. 커다란 스크린과 빵빵한 스피커 속에 파묻혀 새로운 세계로 이끌던 즐거움이 사라지고 있다.

최근엔 유튜브 숏츠, 인스타그램 릴스, 틱톡 등 짧은 영상을 쉽게 보고 중독처럼 의미 없이 보는 시간이 늘었다. 30초 내외의 짧은 영상에 의미는 없다. 대부분 재미있는 부분, 감동적인 부분을 짧게 올려 홍보를 하거나, 물건 추천, 먹방 등 큰 의미가 없는 것들이 대다수다.

중독처럼 의미 없는 영상을 볼 때면 뇌가 멈추는 기분이 든다. 큰 힘을 들이지 않고 멍하니 보고 있자면 사람이 아닌 동물이 되어 가는 느낌이 들 때가 있다.

사람은 생각하는 동물이다. 생각함으로써 꿈꾸고 앞으로 나아갈 수 있다.

영화를 볼 때면 항상 생각에 잠긴다. 생각함으로써 이야기를 깨닫고 감정을 마주한다. 수많은 이야기는 나에게, 많은 사람에게 다양한 감정을 준다. 행복, 슬픔, 기쁨, 짜증, 즐거움 등등 다양한 감정이 피어나면 나는 활력을 얻는다.

영화관에서 영화를 보는 것과 작은 모니터로 영화를 보는 것엔 큰 차이가 있다. 눈이 시릴 만큼 커다란 화면, 생동감이 넘치는 표정, 귀를 울리는 소리가 나를 새로운 세상으로 이끈다. 영사기에서 쏘아져 영사막에 비치는 움직이는 사진임에도 감정은 고조된다.

그것이 좋다.

기대했던 영화를 보기 위해 영화관에 가고, 좋아하는 영화가 재개봉하면 영화관에 간다. 영화관에서만 느낄 수 있는 것들이 존재한다. 이 즐거움이 조금씩 사라지는 것이 슬프기만 하다.

나를 새로운 세상으로 이끄는 영화를 영화관에서 자주, 또 많이 볼 수 있는 계기가 다시 마련되길 바란다.

현재에 충실한 나에게

안녕
주연아

요즘 너는 대단한 삶을 살고 있어
두렵고 무서웠던 틀을 깨고
날갯짓을 시작한 나비처럼 움직이고 있지

하루하루 의미 있게 살아가려 노력하고
하루하루 스스로를 위해 살아가고 있어

세상에 똑바른 길은 있지 않아
넌, 너만의 길을 잘 걸어 나가고 있어

어릴 때를 생각해 보면 이런 일이 있을 줄 알았니?
넌, 지금까지 생각해 본 적 없는 길을 걷고 있는 거야

내일도, 모래도, 1년 뒤에도, 10년 뒤에도
상상해 본 적 없는 미래가 너를 기다리고 있어

과거와 미래보다 현재에 집중하고 있는 너는,
지금처럼 널 위해 한발 한발 나아가면 되는 거야
너는, 참 대단한 삶을 살아가고 있어

JY.KIM, 기다림 iPhone 12 mini 2024. 05.

4장

고래

김주연 B

고래

작가 김주연 B

작가의 사명

나의 어둠에 빛을 비춰
독자들의 그림자에도
불을 밝히는 것 ;

작은 용사

심부름 가는 길
역시 개 세 마리가 골목길에 보인다.
등골이 오싹해진 작은 용사는
숨죽여 개들을 조용히 지나친다.
살았다.

무사 귀환 후
하늘의 별을 세었다.
작은 용사의 눈동자도 반짝이는 별 모양이다.

세월이 흘러
작은 용사는 어른이 되었고, 용사의 거죽만 남아있었다.
그녀가 울고 있었다.
왜 우냐고 묻자 그녀가 대답했다.
"너무 무서웠어요."
별 모양의 눈이 반짝거렸다.

빛나는 별

용맹한 한 소녀가 있었다.
무서움이 올라올 때면
작은 주먹 꼭 쥐고 위풍당당 걸어나갔다.
사랑하는 이들에게 기쁨을 주기 위해서였다.

가느다랗게 떨리던 소녀는
하늘의 별을 바라봤다.
어느새 떨림은 사라지고
마치 별이 된 것 마냥 밝게 빛났다.

세월이 흘러, 어른이 된 그 소녀를 만났다.
빛은 흔적도 없이 사라지고
대신 어슴푸레한 슬픔이 자리 잡고 있었다.

그녀가 갑자기 울기 시작했다.
그러자 별빛에 숨죽이고 있던 두려움과
기쁨이 되지 못한 자괴감이 은밀하게 모습을 드러냈다.
그녀의 눈이 조용히 빛나기 시작했다.

바다

네가 바다라 나도 바다, 우리.
가느다란 물줄기 따라, 어디로 가는지 몰랐지만
그저 찬란한 빛내며 파랗게 흘러갔다.

손이 꽁꽁 얼었지만, 그저 따스했다.
훔친 빵도 즐거웠다.

내가 바다라 너도 바다.
저 멀리 보이는 지평선까지 내달려볼 수 있을까.
다시 꽉 안아볼 수 있을까? 우리.

꿈

도대체 어디로 가야 할지 몰라 울고 있을 때
내 손 꼭 붙잡고 같이 가자고 하던 친구야.
너와 함께라서 난 어디든 갈 수 있었어.

몸은 가난했지만 마음이 늘 따뜻했단다.
너와 함께라서 말이야.

분명 같은 곳을 보고 걷고 있었는데
어느덧 나 혼자임을 알게 될 때마다
마음이 아득해진단다.

친구야 나는 가끔 꿈을 꿔.
죽기 전에 한 번 더 우리 서로를 꽉 잡고
세상을 향해 겁 없이 달려보는 꿈 말이야.
사랑한다 친구야.

바람풍선

조개 집 안에서 예쁜 진주를 낳고 싶었다.
그렇지 못해, 스스로 거인이 되기로 했다.
허공에 팔 다리를 휘적대며 춤을 추었다.
추고 또 춰도 될 수가 없었다.

나만 몰랐던 구멍이 있었다.
어느샌가 주저앉은 풍선 옆에
또 다른 풍선이 납작하게 누워있다.

당신도 춤을 췄었군요, 열심히.

당신을 알아요

한 소녀가 혼자 꿈을 짓고 있었다.
너무 힘이 들어서 주위를 둘러봤지만
소녀를 도울만한 사람은 아무도 없었다.
그래서 소녀는 스스로
강해지기로 마음을 먹었다.
그날 이후로 소녀는
열심히 또 열심히 꿈을 지었다.

그런데 이상한 건
소녀가 꿈을 지으면 지을수록
그 꿈이 아스라이 사라진다는 것이었다.
소녀는 너무 슬프고 지쳐서
얼굴을 감싸 안은 채 주저앉고 말았다.
그때 누군가 소녀의 어깨를 감쌌다.
늘 혼자이던 소녀는 깜짝 놀라 물었다.
"누구세요?"
그가 말했다. "나는 당신을 알아요. 힘내요."

고래

오르막 길 고개 들어 한숨 쉬니
네모난 건물 사이 하늘도 네모나다.
저 하늘을 떼어내면 분명 무엇인가 있을 듯하다.

강아지 옆에서 똥을 싼다.
다시 하늘.
고래가 유유히 지나간다.

저 네모난 하늘 뚜껑 열고 있는 힘껏 날아오르면
이곳은, 고래가 춤추는 섬
나무뿌리 위 걸터앉아 합창을 한다.
바람이 시원하게 분다.

춤

손가락 가리키는 곳으로 가보았지만
그곳엔 없었다. 멈춰서 하늘을 본다.
분명 다른 곳에 길이 있을 것이다.

어둠 속 빛줄기를 잡으려 하늘을 볼 때마다
나는 땅으로 꺼지고 말았다.
그래도 포기하지 않고 기다리니
하늘 위로 빛이 아른거린다.

아른거림 너머로 춤추는 고래가 보인다.
함께 노래하는 사람들도 보인다.
사랑이 떠오른다.

우중산책

아침 6시 30분 알람이 울린다. 빗소리가 요란하다. 눈을 질끈 감았다가 날씨 앱을 켜본다. 다행히 빗줄기가 약해질 모양이다. 30분 후로 알람을 다시 맞추고는 이리저리 아침 시간을 계획한다. 7시다. 서둘러야 한다. 곤히 자고 있는 가을이를 깨운다. 손이 건조해서 미리 배변봉투의 입구를 벌려서 챙긴다. 물통, 우산, 타월, 간식까지 가방에 넣고 놓친 것은 없는지 체크한다. 아! 진드기 기피제가 빠졌음을 확인한다. 턱, 겨드랑이, 배 부분을 잘 발라 주고 등과 항문 쪽에 꼼꼼히 뿌려준다. 이제 출발이다. 현관문을 열자마자 더운 습기가 쏟아진다. 미간에 힘이 들어간다. 가을이의 걸음이 느리다. 습기 91% 때문일까? 너무 일찍 일어나와서일까? 일단 출발한다. 앞으로 남은 시간은 1시간 30분. 서둘러야 한다. 가을이의 다리 방향이 다른 곳을 향한다. 오늘은 짧게 동네 산책만 해야 함을 알리고 걸음을 재촉한다. 가을이의 걸음은 여전히 더디고 그의 머리뼈가 움푹 팬다.

동네 아파트 외곽 산책로를 걷는다. 진드기와 풀 제초제의 위험성을 알리고 말려보지만, 풀 속으로 더 깊이 들어간다. 배변활동은 성공적이다. 간식을 달라고 보채니 지붕 아래 벤치를 찾아 들어가 앉는다. 맛있게 먹는다. 이제 집에 돌아가야 한다. 50분 안에 해야 할 일의 목록이 많다. 집으로 출발한다. 맙소사! 단골 카페가 평소보다 일찍 문을 열었다. 가을이가 달린다. 나도 달려진다. 어느새 "가을아 왔어?" 사장님이 인사를 하고 계신다. 아이스 아메리카노를 주문한다. 커피가 나오는 동안 가을이의 눈이 가늘어진다. 잠들기 전 모양새다. 큰일이다. 커피를 받아들고 가을이를 들쳐 업는다. 비인지, 땀인지 모르게 온몸이 젖는다. 집에 도착. 가을이의 배가 흙탕물로 축축하다. 욕실로 직행한다. 따뜻한 물을 받아 씻긴다. 눈이 또 가늘어진다. 습진으로 빨간 발가락 사이사이를 꼼꼼하게 타월로 닦아준다. 앞으로 남은 시간 30분. 연고를 바를 시간은 없다. 가을이 밥을 전자레인지에 돌리고, 재빠르게 샤워를 한 뒤, 드라이하는 시간을 줄이기 위해 수건으로 최대한 머리 물기를 짜낸다. 밥을 먹인다. 야채 넣은 밥을 스스로 먹는 법은 없다. 손으로 동그랗게 모양을 만들어 입에 넣어주니, 천천히 꼭꼭 씹어다 먹는다. 남은 시간 10분. 머리를 간단히 말린다. 오늘 할 일 목록에서 빠진 건 '간단히 아침 요기하기' 하나뿐이다. 비교적 성공적이다.

"가을아~ 엄마 공부하고 올게." 집을 나선다.

나비 - 더욱 미래의 나가 미래의 나에게

드디어 나비가 된 것을 축하한다.
네가 나비라는 사실을 잊은 채
번데기로 혼자 끙끙거리고 있을 때도
사실 너는 혼자가 아니었단다.

이제 너도 알게 될 거야
심각하게 굴 것 없다.
더 많이, 더 높이 날아다니자.
날아다니다가 다른 번데기 발견하면,
그들에게 미리 축하를 보내자.

김지유, 눈꽃 뿌리는 사람, Nikon D50, 2006.

5장

야트막한 언덕에 서서

김지유

야트막한 언덕에 서서

작가 김지유

작가의 사명

작가의 사명은 질문하는 것
왜 왔느냐 묻고
어찌 살 테냐 묻고
인생 거울의 먼지를 닦아
자기를 보게 하는 것
하여, 참된 자유를 얻게 하는 것 ;

옥수수

흥, 강냉이
그게 뭐 맛있다고
돈을 주고 사먹나
했지

어느 날 길에서
친구가 사줬는데, 허!
너무 맛있는 거라
하나 남겨 집에 와서
개와 다투며 먹었지

지금 냉동실에
고소한 옥수수 스물아홉 개
벌써 스무 개 해치우고
또 사서 쟁였지

하찮던 것이
도리어 귀해지는 시절이라니

모르는 새
아, 세월 많이 흘렀구나.

추억의 힘으로

하찮아 뵈던 옥수수 쟁이듯
세월 속에 조금씩
변해왔구나

안 먹던 걸 먹게 된
무심한 세월 동안
알알이 소소한 추억들
내 안에도 여물었을까

가없는 기쁨도
아득한 절망도
별 것 아니지만 소중한
추억의 단단한 알맹이들로
그저 다글다글 틈 없이 꽉 채운
작지만 통통한 나의 삶

*

추억의 힘으로 살아가겠지
통통한 옥수수 알알이
다 빼먹고 언젠가
푸석한 대만
남을 때까지

식구 똥꾸

같은 걸
같이 먹는다

감자를 삶으면
감자
같이 먹고

짬뽕을 시키면
짬뽕
같이 먹고

먹는 입뿐인가, 어디

꽁보리밥에
열무 넣고 비비며
깔깔거리는 날은

뿌웅 뿌우웅
방귀 냄새도
똑 닮는다.

식구라고 하지

같이 밥 먹는 입이라
식구(食口)라고 하지
밥상에 둘러앉아 오순도순
궁하면 궁한 대로 푸지면 푸진 대로
불평은 살짝만 얹고
깔깔 웃음 반찬 삼아 나누는
생명의 잔치
지금
깡소주에 라면 발이나 후루룩거리며
식구를 생각하지, 어쩌면
한솥밥 스무 해 같이 먹은
동료들이 차라리 식구일까
같이 먹는 사람은 닮지
조금씩 자꾸 닮아가지
먼데 가족보다 살 냄새 비슷해지지
원초적 생명력으로
현재를 공유하는 식구
붕어빵 한 개, 콩 한 쪽도
나눠 먹지
불평도 웃음도 살뜰하게
나눠 먹지
그래 식구라고 하지.

비

비
 가
내
 린
 다

가라고
  가랑비
어서 가버리라고
조용히 조용히
두 볼을 적신다

 비
가
 내
린
 다

있으라고
   이슬비
조금 더 있어 달라고
가만히 가만히
손등을 적신다

비의 두 이름

비가 오네
한 닷새

이별의 우산 속에
두 마음 있어

같은 비가 속삭이네
두 개의 목소리로

누구의 귀에는 가라 가라 하고
누구의 귀에는 있으라고 하네

가랑비인가
이슬비인가

연인들의 우산을 적시는
저 비의 이름은.

살림

친구들 부르려고 청소하고 요리하던 날들은 이제 없다
외롭고 지저분한 나의 집
살림이 엉망이다

사람을 살린다고 살림인 걸
혼자라고 대충 해 먹고 대충 치우고
혼자라고 빨래 미루고 청소 거르고
그저 책이나 보고 그림이나 그린다
벗 없는 그늘에서 홀로
서서히 죽어가는 것만 같다

밥하고 설거지하고 빨래하고 청소하는 것
가족을 돌보는 것
나를 돌보는 것
우스운 줄 아느냐 가벼운 줄 아느냐

사람을 살린다고 살림인 걸
살림 안 하면 먼지 쌓인다
무거운 세월 속에 사람 곪는다

혼자 산다고 살림 안 하는 건
지독한 자기 방임, 혹은 끝내
서서히 자기 죽임.

바림

닥종이 펼치고 먹선 긋는다
물아교 바르고 호분 칠한다
오므린 하얀 연꽃 송이
더욱 꽃답게 피어나라
호분 한 꺼풀 살살 더 입힌다
홍매색 물감 묻혀
꽃잎 끄트머리 바린다
아기 볼에 묻은 젖국물 닦아내는
엄마의 손길처럼 다정하고 부드럽게
도시의 폭탄 테러범 저격하는
스나이퍼의 손길처럼 정확하고 날렵하게
물감 마르기 전에 완벽하게 해치운다
끝인가?
더 이쁘게 피라고
진한 색 얹어 곱게 다시 바린다
숨 참으며 홍매 테두리 또 덮어 긋는다

민화 속 연꽃 한 송이 겨우 피워내는
시간의 밀도…
만큼만이라도
아기 돌보듯 자기 돌보는
밝고 경쾌한 그라데이션의
아침은 있는가, 독신자여

산 밑 풍경

산 밑에 바람은 차고
드문 별빛 보일 듯 말 듯
별이 쏟아진다는 말은
천 년 전의 이야기
속 어두운 나무들 잠들지 못하고
우우우 저를 흔들며 세상을 보는데
산 밑에 무정하게
바람이 차고 사람이 차고
모든 것이 차가워

산 밑에 바람은 자고
가문 별빛 보일 듯 말 듯
별을 노래한다는 말은
천 년 뒤의 이야기
빛 그리운 나무들 잠들지 못하고
우우우 저를 비틀며 속울음 우는데
산 밑에 무심하게
바람이 자고 사람이 자고
모든 것이 잠잔다.

쓸쓸한 날엔 별을 노래하렴

쓸쓸하였구나 아가
친구가 그리워 왔건만
산 밑에 깔린 비정한 어둠
별빛을 삼키더냐

쓸쓸하였구나 아가
이웃이 그리워 왔건만
산 밑에 고인 지독한 정적
노래를 지우더냐

별을 노래하는 마음으로
모든 죽어가는 것들을 사랑하겠다던
그이는 죽어 없지만
그이가 사랑한, 죽어가는 것들은
다시 별이 되어 난단다

쓸쓸한 사람 아무리 쓸쓸해도
죽어가는 것들 사랑하면
죽어가는 그것들 그예 별이 된단다
그렇게 하나씩 별이 된단다

자꾸만 노래할 별이 생긴단다
드디어 쏟아질 별이 생긴단다

십이 월의 전시관

십이 월 중순이 되면 단칸방 식구들은 분주해진다. 손전등을 비추며 나지막한 다락방에서 상자를 하나 끄집어 내린다. 그러고 그 속에서 알록달록한 색색의 꼬마전구를 줄줄이 뽑아낸다.

상자 속에서 좀 더 작고 단단한 상자 하나를 또 꺼내 뚜껑을 열면 예쁜 카드가 한 뭉치 튀어나온다. 미국 사는 엄마의 이모들이 고조할머니께 보낸 수십 년 간의 크리스마스 카드, 어머니날 축하 카드, 신년 축하 카드 들이다. 어쩌다 그 귀한 것들이 우리 차지가 됐다.

고급 종이에 엠보싱은 기본, 화려한 색채와 부분 부분 반짝이, 금박 등으로 세련되게 장식한 카드들은 눈이 휘둥그레질 정도로 아름답다. 펼치면 꽃이 튀어나오는 팝업 카드, 반쯤 펼쳐 놓으면 천사가 집 앞에서 노래하는 조형물이 되는 카드, 종이를 기울이면 그림이 달라지는 3D 입체 카드도 있다.

우리는 아름다운 카드로 단칸방을 꾸민다. 벽면을 하나씩 차지하고 자신이 고른 카드와 금술, 은술로 장식한다. 곱고 차진 인디고 종이에 금박 엠보싱으로 동방박사 세 사람이 새겨진 카드는 늘 내 차지다. 나는 또 직접 그린 그림도 같이 붙인다. 마지막에는 엄마가 오색 전구를 창문과 카드 위쪽에 빙 둘러준다. 자, 이제 방 불을 끈 뒤 꼬마전구 점등.

"우와!"

탄성이 터진다. 심미적인 것을 대할 때의 경외감 같은 것이 꼬마들의 이 작은 방에 강림한다. 이렇게 꾸며진 전시관은 세밑까지 운영될 것이다. 또 동네 사람들에게 은근한 자랑거리가 될 것이다.

크리스마스 이브에는 파티가 열린다. 촉촉한 엄마표 카스테라가 기다린다. 일곱 살, 맏이인 내가 대표로 빵 위에 초콜릿 글씨를 쓴다, 숨을 꾹 참고.

축
성 탄

고소하고 향긋한 빵 냄새가 방을 채운다. 따끈하고 부드러운 빵 한 쪽, 달콤한 코코아 한 잔이면, 머랭을 만들기 위해 달걀흰자를 젓던 어린 팔의 노고도 까맣게 잊힌다.

창밖에 울리는 성탄 노래, 벽면 가득한 예술의 향연, 눈이 내리지 않아도 심연까지 충만했던 유년의 기억.

이제 거리가 캐럴송으로 시끄러우면 남의 생일에 웬 호들갑이냐고 콧방귀 뀌는 나이다. 그래도 십이 월의 전시관은 내가 가족을 떠올릴 때 가장 멋진 장면으로 머릿속에 그려진다. 살면서 때때로 우주의 구석을 유영하는 듯 먹먹한 외로움이 가슴에 찰 때, 작은 방에 오색등 켜듯 살짝 켜보는 기억, 깜박 깜박거리며 내 삶에 예술적 자양을 보태 준 아주 오래된 기억이다.

HY.KIM, 일일호일 iPhone 14pro. 나른한 수요일오후

6장

버티고 있습니다

김혜영

버티고 있습니다

작가 김혜영

작가의 사명

우선 쓰자.
타인과 함께
공유하고 공감하며
확장된 사고를 함께
이야기하는 광장 마련하자 ;

길

물속에서 헤엄치고 있는듯한 날
온몸이 젖어 있다.

잘못된 길을 가는 듯한 모습에
마음이 젖어 있다.

눈을 마주 보고 이야기하고
가슴을 마주 대고 이야기하지만

아직은 잘 모르겠다.

엄마가 처음이라.
너도 사춘기가 처음이라

아직까진 맞잡은 두 손이
다행이라 생각하지만

언제 놓을지 모를 너의 손에
불안을 느낀다.

함께 가자 딸아.
비록 옆은 아닐지라도

가는 길에 작은 들꽃이 되어줄게.
꽃을 보며 가자.
쉬엄쉬엄 가자.

길에 대하여

보습기 한가득 머무르고 있는 여름날
너는 태어났어.

애지중지는 아니지만
귀한 보석같이 너를 키웠지.

누군가는 사춘기가 부모와 멀어지는 연습이라고 이야기해
아직까진 연습이 되지 않았나봐

눈을 마주 보고
가슴을 마주 보고
이야기하는 너의 모습에

아직까진 대화를 이어 나감에
감사하고 또 감사하지

언제나 너의 뒤에서
너의 힘이 돼주는 엄마 아빠를 생각해

언제 놓을지 모르는 손이지만

길가에 피어나는 작은 들꽃들처럼
항상 그 자리에 피어서
너의 쉼이 되어줄게

쉬엄쉬엄 가자.
여유있게 가자.
꽃을 보며 하늘도 보며
함께 가자.

내적 갈등

아침마다 울리는 핸드폰

알람
다시 알람
일 분만 더
오 분만 더
아침마다 내적 갈등

알람
다시 알람
가만히 누워 천장을 바라본다
눈꺼풀이 감긴다
다시 알람

알람
다시 알람
늦었다
오늘도 매번 같은 고민 중

알람.

다시 알람.

내적 갈등에 대하여

아침마다 내적 고민 속에
무거운 몸을 일으킨다.

알람이 울리면
자연스럽게 누르는 다시 알람

정신이 지배하기 전
육체가 지배하는 손놀림
다시 알람

뉘엿뉘엿 일어나
늦었음을 느낀다.

하루의 시작은
누구나 비슷하다.

갈까 말까

무거운 발걸음
겨우 걸어 나온 거리

이어폰엔
흥겨운 노랫소리

전광판 글자와 숫자의 배열
버스 도착 전 2분

전 정거장까지 걸으면 1분 30초
충분히 걸어갈 수 있는 시간

걸을까 기다릴까

이어폰 속 세상
흥겨운 노랫소리
정류장은 콘서트장

콧노래 부르며 살랑살랑 몸짓
2분 동안의 여유

가벼운 발걸음으로
버스를 기다리네

갈까 말까에 대하여

덥고 습한 여름은 밖으로 나가기 너무 힘겹습니다.
특히 타인의 볼일 때문에 나가는 것은 더더욱 힘들죠

무거운 발걸음으로 정류장에 도착했을 때
전광판에 써진 버스 도착시간은
고민을 자아냅니다.

전 정거장까지 걸어갈 시간은 충분하지만
귀에서 들려오는 흥겨운 노랫소리는
정류장을 콘서트장으로 만들어요.

기다리는 2분이 지겹지도
무겁지도 않아요.

2분의 여유로
마음이 한결 가벼워짐을 느낍니다.

마음먹기에 따라 달라지는 인생.
서두르지 말고 여유를 갖는 삶을 살아야겠어요.

소화제

2024년 절반을 보내며 달라진 나를 발견한다.
탁상달력 가득 써져 있던 글씨들이 3월에 머물러 있다.

'내려놓음'
너무 잘 실행되고 있는 목적지

잘 정리하며 내려놓아야 하는 마음들을
아무렇게나 던져두었다.
다시 해야 하는 일들마저
꼭꼭 숨겨 찾지 못하게

새로 시작하는 설렘도 사라진 지 오래
걱정만이 한가득
장롱 뒤 먼지처럼 쌓여만 간다.

지쳤었나 보다.
나도 모르는 사이 내 몸과 마음은 지쳐가고 있었다.
삶의 의미.
가족의 의미.
연대의 의미.
갖가지 의미들을 부여해 가며
심연 속으로 나를 데려가고 있다.

몸속 깊은 곳에 넣어 두었던 모든 것들이
체화되지 못한 채 독소를 뿜어내고 있다.
식(食)은 하였으나 소화되지 못했다.

천천히 발을 디뎌 본다.
서두르지 말고 천천히
내 소화제를 찾아 떠난다

소화제에 대하여

누구에게나 자신의 상태를 확인할 수 있는 매개체가 있습니다.
탁상달력은 상태를 확인할 수 있는 그 매개체가 되었어요.

3월은 한 해를 시작하는 보편적인 달이 아닌가 싶어요.
아직 2024년에 시작을 하지 못하는 할 수 없는 상태.

'내려놓음'
너무 잘 실행되어 아무것도 하지 않는 상태.

정리를 잘하며 다음에 다시 꺼내어 볼 수 있게
내려놓아야 하는데
이리저리 뒤죽박죽 던져두어 어지럽기만 합니다.

하지만 나만의 소화제를 찾아
천천히 발을 딛어봅니다.

그 소화제가
무엇이 될지는 알 수 없어요
책이 될 수도 있고 사람이 될 수도 있으며
글쓰기가 될 수도 있습니다.

제일 중요한 것은
'발을 내디뎠다'라는 데 있습니다.
소파 위가 아닌 다른 곳에 앉아 있다는 데 있습니다.

지금 이렇게 글을 쓰고 있는 것처럼요.

수관의 수줍음(crown shyness)

여름 나무는 유난히 싱그럽다.
특히 비가 온 직후의 나뭇잎은 샤워라도 한듯하다.
나무를 한참을 쳐다보다
일정한 간격으로 심겨 있는 것을 발견한다.

수관 기피
수관의 수줍음.
각 나무의 윗부분인 수관이 닿지 않게 유지하는 거리
수줍다.
나무들이 수줍어한다.

사람과의 거리도
나무들처럼
수줍음에 유지했으면 한다.

혐오
배타적인 시선
날카롭다.

나무들처럼
수줍게 바라보자
너와 나의 거리 유지는
싫어서가 아닌
수줍고 부끄러움으로 대체하자

산에 빼곡히 심어진
나무들처럼
일정 거리를 유지하자
수줍게.
아름답게.

수관의 수줍음(crown shyness)에 대하여

여름 나무는 유난히 싱그럽다.
특히 비가 온 직후의 나뭇잎은 샤워라도 한듯하다.
나무를 한참을 쳐다보다
일정한 간격으로 심겨 있는 것을 발견한다.

수관 기피
수관의 수줍음(crown shyness).
각 나무의 윗부분인 수관이 닿지 않게 유지하는 거리
수줍다.
나무들이 수줍어한다.

사람과의 거리도
나무들처럼
수줍음에 유지했으면 한다.

혐오
배타적인 시선
날카롭다.

나무들처럼
수줍게 바라보자
너와 나의 거리 유지는
싫어서가 아닌
수줍고 부끄러움으로 대체하자

산에 빼곡히 심어진
나무들처럼
일정 거리를 유지하자
수줍게.
아름답게.

인생의 방향지시등

아침마다 학교 앞에서 노란색 깃발을 들고 서 있다. 처음엔 아침 시간을 허투루 보내는 게 싫어서 신청한 교통 봉사가 일 년을 하고 반년을 더 하게 된 것이다. 물론 올해의 반년도 아직 남은 상태다. 통학시간 길거리는 출근하는 어른들과 학교에 가는 학생들로 붐빈다. 우리 마을에 '이렇게 많고 다양한 사람이 있었구나'를 느끼는 순간이다.

처음 깃발을 들고 길가에서 차량을 멈추었을 때는 위험한 순간도 많았다. 멈추라는 지시를 어기고 가버리는 차들, 이어폰을 낀 채 멈추지 않는 사람들, 옆은 보지 않고 앞만 보며 가는 자전거들은 가슴을 철렁하게 했다. 특히 방향지시등을 켜지 않는 차들과 일방 통행로에 무리하게 들어가려는 차들은 많은 생각을 하게 만들었다. 왜 깜빡이를 켜지 않지? 약속 아닌가? "깜빡이 켜주세요." 목청껏 소리치지만 들릴 길은 없다.

우리네 인생에서도 이렇게 방향지시등, 즉 깜빡이를 켜지 않거나 일방적으로 들어오려는 사람들이 있다. 아이를 낳고 다양한 사람들을 만나면서 이러한 일방적임이 얼마나 무례한지를 느낀지 얼마 되지 않았다. 참는 게 미덕이라 느끼며 살아온 인생에서 다양한 '언니가.' 님들을 만났다. 그분들의 특징은 자기를 3인칭으로 이야기하는 특징을 가지고 있다.

"언니가. 너보다 더 오래 살았잖니? 그래서 해주는 말인데."

"언니가. 그래도 너보다 결혼을 빨리했잖니, 다 너를 위해 하는 말이야." 등등 나보다 나이 많은 사람들이 이야기하면 옳을 것이라는 생각에 부당함을 모른 채 살아왔다.

코로나 사태를 겪으며 한참 이슈화되었던 '거리 두기'. 사람과 사람 사이의 물리적인 거리 두기를 하며 자연스럽게 심리적인 거리 두기로 확장되어 생각하는 계기가 되었다. 나를 위해 해주었다던 말들과 행동들이 그냥 무례한 행동이었음을 불혹의 나이가 되어 알게 된 것이다. 지금이라도 알게 된 게 어디냐며 스스로 위로를 해본다.

아침마다 항상 같은 풍경일 것 같은 통학시간의 그 길거리는 다양한 차들과 사람들로 붐빈다. 그 안에는 무례한 사람과 친절한 사람 인사를 잘해주는 사람과 앞만 보며 가는 사람 다양한 사람들이 뒤섞여 간다. 시간의 흐름과 반복 속에 사람도 차도 현란한 깃발을 보며 적응된듯한 모습도 보인다. 전혀 멈춰줄 것 같지 않던 차들이 멈추고 사람들이 멈춰 줄 때는 그 고마움이 배가되어 인사도 더 즐겁게 하게 된다.

사람들과의 거리 두기를 하듯이 방향지시등을 켜지 않는 차량과도 거리 두기를 어떻게 해야 할까 생각하며 오늘도 외친다.

"깜빡이 좀 켜주세요."

MW.Park, Summer of Nan Tien Temple 2024.01.

7장

눈 깜빡 한 사이 - 넋두리

박민원

눈 깜빡 한 사이 - 넋두리

작가 박민원

작가의 사명

'글'이라는 물감으로 세상을 그리는 화가

그리고

'공감'이라는 악기로 마음을 울리는 음악가

노력하겠습니다 ;

시작

무엇부터 할까?
어떻게 할까?
누구랑 할까?

두려울까?
설레일까?
행복할까?

맨 처음 첫발
아무도 없는
소복한 눈밭

조심스럽게
살포시 살포시
내밀어본다

선택

무엇부터 할까?
어떻게 할까?
누구랑 할까?

이상일까?
정답일까?
최선일까?

누구나 모두
선택의 기로

확실한 선택
성공의 가도

너에게 선택
기회의 순간

마음

어제는 구름이 꼈다
움직이는 무거운 한 몸
어구적 어구적 제자리 걸음
하늘이 하늘이 컴컴한데
여전히 여전히 제자리 걸음

오늘은 비가 내렸다
변함없이 묵직한 한 몸
사납게 사납게 때리는 빗물
눈물이 눈물이 하염없어
거세게 거세게 때리는 빗물

내일은 해가 떴다
오그리어 작아진 한 몸
너에게 너에게 빼앗긴 희망
마음이 마음이 으쌰으쌰
나에게 나에게 되찾은 희망

'으쌰으쌰'

어제는 먹구름이 몰려와
마음이 너무 힘들었지
걸을 수조차 없이
마음이 무거웠구나

사납게 내리는 빗물에
상처 입은 마음을 숨기며
하염없이 울고 또 울었구나

너무 작아져 버린 마음에
작은 촛불처럼
빼앗긴 희망을 되찾으려는
모습에 힘을 보태련다
'으쌰으쌰'

까만 아이

치가 떨리게 냉정한 아이
인생 쓴맛 보게 한 아이

입천장까지게 뜨거운 아이
냉랭한 마음 녹이는 아이

작은 아이들 하나가 되어
시고 달고 짠 인생 만들고

아우성 없는 인기몰이로
너나 할 것 없이 찾아대니

고단한 하루에 빨대 꽂아
쭈~욱 단숨에 들이킨다

커피 대접

둘 · 셋 · 둘 황금비율
블랙 둘에 셋을 넣으니 브라운이 되었다
쓰디쓴 맛대가리에 둘을 더하니 감미롭다
국 대접에 담아 손님을 대접한다
겨울엔 김이 펄펄
여름엔 얼음 동동

별다방은 저리 가라
길다방이 나가신다
북적대는 재래시장
고된 하루 파워 충전

'길다방~ 커피 둘, 프림 셋, 설탕 둘 부탁해요'

언니가 있었으면 좋겠다

언니 잘 있어?
햇살에 반짝이는 한강을 보면 언니가 생각나
'언니가 있었으면 좋겠다'
나도 모르게 중얼거리네

가슴 속 밑바닥에 깔린 우울이
삶에 대한 의욕을 후려치는 이 순간
언니가 있었으면 좋겠다

한없이 갑갑한 지금
재미도, 의미도 없는 이 세상
언니가 있었으면 좋겠다

안아주고 싶은데
위로해주고 싶은데
다 무슨 소용 있을까

가슴만 저민다
부디 내가 모르는 세상에서
언니가 있었으면 좋겠다
평안하게.....

친구에게 쓰는 편지

함께하지 못하는 친구에게 안부를 묻고
일상에서 항상 생각하고 그리워하면서
친구와 함께하고자 하는 마음을 표현하였다

세상의 힘든 것들, 어려운 마음을
친구가 있었으면 잘 견디어 낼 것 같은데
친구가 곁에 없으니 답답하고 즐거움도 느끼지 못하는 것 같다

만나면 안아도 주고 싶고
지금의 나처럼 힘들었을 것 같은
친구를 위로해 주고 싶은 마음이 절절하다

삶의 우울에 지처
나와 다른 세상에서 지내는 친구에게
더 이상 힘들지 않기를 애도하는 시간을 갖는다

바닷속 산을 오르는 너

따가운 땀방울 사이로 상쾌한 바람이 지나가네
오늘은 마음으로 산을 오르고 있구나
정리되지 않은 생각들과 근심들이 하얗게 백지화되는
그 순간이 좋은 너
다시 산으로 가고 싶구나
산이 좋다던 네가 요즘 들어 자꾸만 바다를 생각하는 건
무언가 변화가 있다는 걸 거야
캄캄한 깊은 바닷속 보이지 않는 길을 따라
헐떡거리는 숨소리의 안내를 받는 이 순간
'쏴~아 쏴~아 우르르 쿠~우~웅 쿠~우~웅'
머리 위에서 들리는 거대한 파도 소리
세상의 소리
그곳을 지나야 정상의 맑은 하늘을 볼 수 있을 텐데
갈까? _____________ 말까?
. . .　　. . .
숨이 찬다
가자 죽겠다
안가도 죽겠다
세상으로 가보자

눈물방울 유언

그 아이의 엄마가 죽었다
커다란 트럭은 엄마를 지나갔다
보호자도 없는 응급 수술
다량의 출혈은 젊은 엄마를 그냥 두지 않았다

영면실 앞
하지만 그 아이는 엄마의 죽음을 맞이하지 못했다
어른이 말했다
젊은 엄마의 눈꼬리에 매달린 눈물방울이 마치 너를 닮았더구나

세월은 흘렀다
세상의 틀에 얽매여 힘들게 살다보니 곁에 있는 모든 것은 잊혀졌다
그 아이의 젊음도.
또 젊은 엄마도.

그 아이는 또 아이의 엄마가 됐다
이제 그 아이는 젊은 엄마의 나이를 지나 늙은 엄마가 됐다
또 아이가 그 아이가 되었을 때 늙은 엄마는 젊은 엄마를 떠올렸다

하얀 종이에 써 내려갔다
아이와 함께 했던 일상의 나날들과 서서히 조여드는 가슴앓이
수수께끼 같던 젊은 엄마의 눈물방울 유언을 이제야 풀 수 있었다

엄마는 좋겠다

아침 7시 아이는 또 변비 때문에 화장실에서 나오지를 못하고 있다.
발만 동동.
어린아이를 재촉할 수도 없고 한 시간 반이나 걸리는 회사에 출근하려면 지금 어린이집에 가야 하는데….
"엄마~ 다 쌌어" 부르는 소리에 반가워 허둥지둥 들어가 뒤처리를 한다.
"자 이제 출발이야. 응가 시간이 길어져서 엄마는 또 종민이를 업고 뛰어 가야하거든 엄마 꼭 잡아."
가슴에는 출근 가방을 등에는 아이를 업고, 한 손에는 아이 어린이집 가방, 또 다른 손에는 낮잠 이불을 들고 나는 이제 칼루이스가 된다.
숨이 찬다. 한겨울이지만 등줄기에 흘러내리는 땀을 주체를 할 수가 없다.
엄마가 어떤 상황인지 이해하지 못하는 아이는 그나마 엄마와 함께하는 이 시간에 대화를 시작한다.

"엄마, 엄마는 나 사랑해?"
"그럼"
"아빠도 나 사랑해?"
"응"
"할머니, 할아버지도 나 사랑해?"
"하나밖에 없는 귀한 손주니까!"
"할머니, 할아버지는 엄마한테 왜 잘해줘?"

너의 눈에는 할머니, 할아버지가 엄마에게 잘해주는 것 같구나. 아이 돌보는 게 힘들다고 사람들이 그러니 나는 아이를 절대 봐줄 수 없다고 하시는 너의 할머니,
'아들아! 냉장고가 섰다' 저 아랫마을까지 새 냉장고를 사서 보내 드려야 하는 이 고달픈 엄마와 생각이 차이가 있구나. 하지만 이제 겨우 4살 아이에게 무슨 말을 할 수 있으랴.

"종민이 덕분에…." 말을 얼버무린다.
"엄마는 아빠도 없고, 엄마도 없는데 할머니는 엄마 파스 붙여주고, 할아버지는 엄마한테 잘해주고…."
"할머니, 할아버지는 엄마한테 왜 잘해줘?"
"할머니, 할아버지가 엄마 사랑하나?"
"응, 그런 거 같아"
"엄마는 좋겠다, 다시 엄마, 아빠가 생겨서…."

나는 오늘도 아이한테서 또 하나의 깨달음을 얻는다.
그러나 이성은 감성을 제압하지 못했다.

6번을 위하여_ 이혜경 作, 2022.

8장

나, 당신 안아줄래요

이혜경

나, 당신 안아줄래요

작가 이혜경

작가의 사명

환희 &_ 이혜경 作, 2023.

온전한 나와 연결하여
평화와 감사가 깃든 내면 에너지로
다른 사람들을 사랑으로 챙깁니다 ;

행다 (行茶)

보글보글 물이 끓는다
들썩들썩 주전자 뚜껑이 열렸다 닫혔다
물이 넘치기 직전, 탁!하고 전원이 톡! 꺼진다

휴.

주르륵주르륵 다관에 물이 들어간다
다관 안 찻잎들이 스르르 펴진다
돌돌돌 말려있는 찻잎들이 있던 그대로 온전히 펴진다

쪼르르 쪼르르 찻잔에 찻물이 담긴다
투명한 듯 푸르고, 푸르른 듯 투명한 빛이 난다
찻잔 속 연꽃 하나가 떠오른다

음.
연꽃 보며 가만히 옅게 웃는다

뜨거웠던 찻잔이 나를 안아준다
호로록 호로록 내게 속삭인다
"나, 당신 지금 있는 그대로 감사하고, 사랑하고, 축복합니다."

#신의선물 #알아차림 #내가나를안아준다 #존재공감

차명상 (茶暝想)

얼마나 속 시끄러웠던지
가슴이 벌렁벌렁 뛴다
뛰는 가슴 달랠 수가 없다
'한 명 만 걸려 봐라'하는 순간,
큰 숨이 나를 잡는다

가만가만 가만히 심장을 토닥인다
조바심, 두려움, 초조함, 섭섭함이 스르르

새끈새끈 심장이 뛴다
숨, 숨 쉬는 내가 있다
그저 가만히 숨 쉬는 나를 감각한다
이 순간 나는 온전히 살아있다

차분차분 차분히
가슴 벌렁였던 순간들이 반갑다
속 시끄러웠던 내 존재를
있는 그대로 감사하고 사랑하고 축복한다

합정동 손맛

소금에 푹 절인 배추가
흐느적거리며 축 늘어져 있다.

늘어진 배추 소금물을 꾹꾹 짜
커다란 아주 커다란 그릇 안으로 쏘옥

소금에 푹 절인 배추가
다시 흐느적거리며 축 늘어져 있다.

알싸하고 달큰한 찐 마늘
시원하게 하얀 6cm 무채
향긋한 듯 매콤한 홍고추와 청고추
바다 냄새 가득 담아 달여낸 갈치 액젓
커다란 아주 커다란 그릇 안으로 쏘옥

양념들이 버물버물

흐느적거리며 축 쳐져 있던 배추
군침 도는 김치 되었네.

#SoulOfLeadership #합정동1박2일워크숍

샬렘! Shalem!

그대 영혼이
잠시 잠깐 밤 꽃놀이 갔을지라도
몸은 꼭 부여잡고 계셔요

영혼이 돌아오면
그대는 꽃내음 가득하고
달빛에 빛날 거예요

open mind, open heart, open will

그대 영혼이
잠시 조는 사이
어두운 밤이 찾아올 거예요
한 차례, 두 차례 그리고 또
그때도 몸은 꼭 부여잡고 계셔요

그대가
한 차례, 두 차례 그리고 또 다시
춤추고 노래하고, 춤추고 노래하면
어느덧 영혼이
당신 곁에 깨어 있을 거예요

honest question, open question, honest open question.

바람이 없어도

나뭇가지들이 흔들린다.
바람이 없어도
작은 잎, 긴 잎, 얇은 잎, 조용한 잎
제각각 흔들린다.

나뭇가지들에 꽃이 핀다.
빨강, 파랑, 분홍, 하얀 꽃
바람이 없어도
꽃잎들이 흩날린다.
열매가 열린다.

입안에 쏙 들어갈 호호 불어
따스한 알밤 한 가마니
얇디얇은 껍질 속 상큼하고 향긋한
꽉 찬 천혜향 두 광주리
살짝 닿기만 해도
물이 뚝뚝 떨어지는 복숭아 세 알
밍밍한 듯 아니
고소하고 단단한 서리태 네 가마니

바람이 없어도
나뭇가지들이 흔들린다.

닿지 않을 듯 깊은 그곳에서
나무뿌리 꿈쩍 않고 박혀있다.

덕분에

바람이 없어도
가지 많은 나무에 바람 잘 날 없네

바람이 없어도
나뭇잎들이 가지 끝에서
가지를 부여잡고
저마다의 이유로 흔들리네

바람이 불어도 바람 있는 줄 모르고
바람 샐 틈 없이 단단히 박힌
뿌리 깊은 나무에서
꽃이 피고 지네
꽃마다 알알이 맺힌 열매 그리고 씨앗

바람이 있으면 있는 대로
바람이 없으면 없는 대로
바람 잘 날 없던 나무가
뿌리 깊은 나무숲이 되네

바람과 뿌리, 열매가 함께 환희의 춤을 추네
꽃과 나비와 새들도 노래하네

#부모님은혜 #우애

잠 덧

"나 잘 거야!"
내가 싱긋 웃는다.
"에이스! 에이스!"
그가 온다.
눈이 마주친다.
우리는 서로 안는다.

"에이스! 에이스!"
내가 싱긋 웃는다.
"모기가 있네!"
그가 온다.
눈이 마주친다.
함께 손전등을 켠다.

"에이스! 에이스!"
내 눈이 스르륵 감긴다.
"왜 또~~~"
그가 온다.
우리가 싱긋 웃는다.
"당신도 잘자."

#Since20091121 #너는내행운

철들 틈이 없어라

땡깡쟁이 막내딸이
결혼하고도 땡깡을 부리네.

"잘 만났다. 잘 만났어."

싫은 기색 없이
땡깡 받아주는 대구 남자.

땡깡쟁이 막내딸이
결혼하고도 땡깡을 부리네.

"잘 만났다. 잘 만났어."

알고도 모르는 척
땡깡 받아주는 대구 남자.

1리터의 평화

자정을 훌쩍 넘은 시간임에도 사무실 불이 훤하다.
"이혜경 책임 콜택시 언제 도착한대요?"
"10분 걸린대요."
회사 정문 근처에서 동료들과 내 택시가 오길 기다리며 또 일 이야기를 하고 있다.

"안녕하세요. 잘 부탁드려요."
"며칠 전에도 잠실대교 북단에 모셔 드렸는데, 오늘도 퇴근이 늦으시네요."

월요수목금금금 일하던 시절이 있었다.
그때를 생각하면 저절로 입이 길쭉하게 늘어난다.
꿈속에서도 프로그램 로직을 짜며 코딩을 하던 시절의 내가 참 신기하다.
이런 생활을 몇 년을 하고 나니 나는 더 더 뾰족해졌고, 그 뾰족함에 나와 다른 사람들이 다치기도 했다.
매일 매일 시시때때로 생각과 마음이 요동치고 편두통은 점점 더 심해져 갔다.
중심은 흔들렸고, 자유와 조화는 불안과 두려움이 되어 버렸다.

온전한 내가 너무도 그리웠다.
정신이 번쩍 났다.
나를 만나고 싶었다.

기어코,
누구의 방해도 받지 않고 나와 데이트 할 시간을 만들어냈다.
새벽 5시 30분. 나는 그 새벽 나를 만났다.

보글보글 주전자에서 물이 끓는다.
쪼르르.
찻잔을 살며시 잡아 찻잔의 온기를 한참 품는다.
한 모금 차를 마시고, 이번에는
호로록 소리 뒤 입안 가득한 차향을 음미하며 눈을 감는다.
흔들리는 내가 보이고, 슬퍼하는 내가 보이고, 뾰족한 내가 울고 있다.

다시 차 한 잔을 마시며 끓는 물소리를 듣는다.
찻잔에 차를 따르는 내 손을 본다.

눈을 감는다. 손이 나를 토닥인다.
내가 보인다. 그리웠던 내가 보인다.
1리터로 나를 만나고, 1리터의 평화가 내 안에 가득해진다.

#모닝데이트 #마법사세레나의라랄라티룸
#완전프로휴식가본업하고감사하네

억만장자 완전프로휴식가

애인 만날 시간은 없어도 그 새벽에 기필코 나를 만나겠다고 기꺼이 눈 비비며 일어났던 서른 살의 내가 너무도 고맙습니다. 나의 섬세한 매력들이 뭉개지고 찢어져 볼품없어진 줄도 모른 채, 견뎌야 한다고 그래야만 한다고 채근했던 서른 살의 객기가 눈물겹습니다. 모두가 그렇게 살아도 나는 그렇게 살지 않겠다고 발악하듯 저항했던 20대의 나는 어디론가 떠나고, 밥벌이하면서 연봉 1억을 노래하며 조금만 조금만을 읊조리던 서른다섯의 나와 작별했던 당당함에 박수를 보냅니다. 지금 연봉 1억은커녕 월 백 원도 안 되는 살림을 살고 있지만, 나는 매일 나와 데이트를 합니다. 나는 매일 아침 눈뜨는 것이 즐겁고, 매일 밤 감사합니다. 오늘도 나는 억만장자, 프로페셔널 휴식가의 삶을 누리며 삽니다.

어린이대공원꽃놀이_ 이혜경 PHOTO, 2024

보고있다_ 이혜경 PHOTO, 2024

보고있다_ 이혜경 PHOTO, 2024

올해는 생일이 두 번

월요일은 남편의 생일이었다. 오전 일정을 마치고 집에 들어갔는데 남편이 "오늘이 내 생일이에요."라고 말을 했다. "당신 알고 있어요?"라는 말을 남편이 했는지 기억이 안 난다. 그 순간 너무 당황해서 그 순간의 기억이 모조리 날아가 버렸다. 지금 다시 생각해도 머리가 멍하다. 내가 뭘 해야 할지, 무슨 말을 해야 할지 텅 빈 상태였다. 그리고 잠시 후 나는 그저 다가가서 남편을 안았다. 그리고 말했다. "잊어서 미안해요. 알려줘서 고마워요. 사랑해요. 축하해요." 남편도 나를 꼭 안았다.

나는 내 생일도 잘 기억하지 못한다. 그래서 올해 생일도 남편과 친구들, 가족들의 축하 덕분에 알아차렸다. 사실 생일 뿐 아니라 내 개인적 기념일을 챙기는 것에 관심이 없다. 그래서 누군가의 기념일을 「챙겨야 한다」는 것은 큰일이다.

내가 이렇다는 것을 결혼 후 첫 결혼기념일에 확실히 알게 되었다. 남편은 내가 아픈 날 종종 꽃을 사 왔다. 그런데 그날은 아프지도 않은데 남편이 꽃을 사 왔다. 심지어 아주 풍성한 꽃다발이었다. 꽃다발을 보며 잠시 감탄을 하고는 일상으로 돌아가려는데, 남편이 "오늘이 우리 결혼기념일이잖아요"라고 말했다.

나는 시큰둥하게 "에이, 난 또 뭐라고. 난 몰랐네. 어차피 결혼은 하루하루 연장되는 계약인데…. 하루하루가 기념일이에요. 나는 내년에도 기억 못 할 텐데……."라고 말을 해버린 것이었다.

그러나 그 후로 결혼기념일은 잘 기억해낸다. 그리고 대체로 남편의 생일도 잘 기억하고 챙겨왔었는데 결혼 15년 만에 까맣게 잊었다니! 이런 순간이 없길 기도한 것은 아니었지만, 앞으로는 기도가 저절로 될 것 같다.

월요일의 그 아찔함을 기억하며 토요일에는 남편의 생일 축하를 늦게라도 더 유쾌하게 해야겠다.

#당신이건강하길 #당신이깨어있길 #당신이평안하게 #당신이행복하길

중랑천꽃놀이_ 이혜경 PHOTO, 2024

존재 공감 (Empathy of Presence)

용기 있는 자, 마법사 세레나여!

사랑합니다.
당신의 민감함 덕분에 아름다운 에너지를 경험합니다.
숨 막히도록 고통스러운 순간들을 오롯이 마주한 당신을 보며 당신이 느꼈을 충만함과 홀가분함을 나는 상상합니다.
삶의 고통을 온전히 마주하며 그 고통을 사랑하고 감사하는 당신이 내게는 축복입니다.
오늘도 있는 그대로의 당신을 온전히 만나시길 바랍니다.

#숨쉼안온 #내면에너지 #마법사세레나의라랄라

천리포 수목원_ 이혜경 PHOTO, 2024

SH.IN, 속초 Galaxy Z Flip5 2024. 04.

9장

밉다
고맙다
그리고
사랑한다
당신을

인선화

밉다
고맙다
그리고
사랑한다
당신을

작가 인선화

작가의 사명

SH.IN, 선인장 Galaxy Z Flip5 2024. 07.

희로애락 시간 속
삶을 어루만지고
공감하는 내가 되고
당신도 위로되는
시간이 되길
그리고 행복하길 ;

못생긴 애

못생긴 애
기억이 날 때부터
내 이름은 못생긴 애

내 주위엔 이쁜 애
내 주위엔 사랑스러운 애
그런데, 난 못생긴 애

그래도 성격은 좋은 애
그리고 착한 애
그래도 못생긴 애

그래서일까?
제일 듣기 싫은 이름
착한 애
내 이름은 못생긴 애

옛날 똥뚜깐

신발을 신고 나가는 오빠 손엔 어른 손이 꼭 잡혀있다.
엄마는 든든한 큰아들 앞세워 동네를 나선다.

그래서인지 엄마의 사랑을 듬뿍 받은 오빤 어렸을 때부터 날 괴롭히기 시작했다. 이제 국민학교 갓 입학한 1학년 꼬맹이.
4살이나 어린 동생한테 라면을 끓이라고 하고, 못 끓인다 하면 머리에 혹이 떠나질 않는다

여름밤 " 내 다리 내놔~" 전설의 고양 귀신이 나오는 날엔 내 등뒤에 숨어서 귀신 아직도 있냐고 뒤통수에 속삭였고,
삐걱거리는 밑이 뻥 뚫린 나무 바닥 화장실 간다고 동생 손에 신문지를 던져 주면.. 머리통에 혹 날까 봐 눈치 보며 고사리 손으로 신문지를 꾸깃꾸깃 열심히 비비곤 했었다.

눈치 없는 주인집 꼬맹이가 습자지로 만든 일일 달력을 찢어 자랑하듯 휙 날리며 똥뚜깐에 들어 갈라치면 어찌나 부럽던지..
오빠 똥구멍에 구멍이라도 나라며 대충 꾸겼다가 뒷간 나온 오빠 꿀밤에 또 얼마나 울었던지

엄마 닮은 오빤 잘 생겼고, 아빠 닮은 난 못생겼다고 어찌나 놀려 대던지 속상했지만 그땐 당연한 줄 알았다.

Dawid Kochman, Unsplash, Fujifilm, X-T30 2, 2024

지나가던 동네 어르신이
“선화~ 오늘 예쁘네~”말 한마디 툭 던지면

“에잇, 어디 가요. 별말씀을 다 하시네~ 아들이 잘생겼죠~”
하고 웃어넘기는 엄마셨다.

사실 이쁜 건 아니니, 뭐라 말은 못 하지만, 그래도 귀엽긴
했는데, 내 주위엔 이쁘고, 사랑스럽고, 안아주고 싶은 동네
딸들이 왜 그리 많은지….

기분 나쁘다는 생각도 못 하고, 그런가 보다 했다.

엄마한테 칭찬 들으려고, 수돗가에서 운동화며, 양말이며
빨랫비누로 쓱쓱 닦으면 ”우리 선화~ 착하네“ 했던 엄마가 마냥
좋았다.

기억이 날 때부터 내 이름은 못생긴 애였지만, 그 시절 그
추억이 아련하게 따스하다.

■ 똥뚜깐_ 화장실 비속어 (똥뒷간)

어머니의 기도

훨. 훨.
나르렴

걱정도
날려버리렴

슬픔은
스펀지와 같아
널
주저앉힐지 몰라

용기를
내렴

그게
무엇이든
괘념치 말렴

멈추지
마르렴(마!렴)

의식이
피어날 때
빛나는
네가 되렴

괜찮아

절실한 크리스천 신자였던 어머니는 봉사하며 사는 삶이 가치 있다 하셨다.

사춘기 땐 긴 머리를 짧게 잘라 선머슴처럼 하고 다녔는데, 뭔지도 모르고, 중학교 3학년까지 매주 토요일이면, 친한 친구와 00 수녀회에 가서 다양한 사람들도 만나고, 소통하는 방법도 배웠다. 그 덕에 난 성격이 더 밝고, 유쾌해졌으며, 짧은 커트 머리 때문인지 동성 친구들이 밸런타인데이(Valentine Day) 땐 내 책상 위에 사탕 목걸이와 초콜릿을 몰래 두고 가기도 했다.

아버지 사업 실패로 집이 어려워지자 오빠 학비와 생활비를 내기 위해 대학 대신 직장을 다니게 될 때도 새로운 경험을 하게 될 생각에 하루하루 설레는 사회생활을 했다.

성격이 모나지 않고, 동글동글한 데다 워낙 에너지도 많고, 성격도 좋아서 직장에선 막둥이로 귀여움도 많이 차지했더랬다.

이해인 수녀님의 시집을 읽으며, 내 절친은 수녀의 길을 걷고, 수녀님이 되었다. 수녀의 길 대신 결혼을 하게 된 내 삶을 수녀가 된 절친은 존중해 주고, 축복도 해 주셨다.

SH.IN, 부여 Galaxy Z Flip5 2024. 04.

그렇게 밝고, 더할 나위 없이 행복해하던 딸이 아픈 아이를 낳게 되면서 부모님은 딸의 삶을 나눠 가지셨다
그리고 말씀하셨다.
"괜찮아, 우리가 너의 날개가 되어줄게.
이제…. 아무 걱정하지 말고, 넌 훨훨 나르렴."

습작

미숙한 시절
글을 끄적이다

조금 실수했다고
주저앉고
조금 지겹다고
손을 놓으려 할 때

하늘을 바라봐
때론 구름 한 점 없는
푸르른 하늘이

변덕쟁이가 되어
먹구름 잔뜩 몰고 오고

때론
너의 머리 위로
어깨 위로
신발 위를
적시더라도

다시 시작된 아침
선물처럼
마음을 보듬고

다시 시작된
초록 불빛 되어
네 삶을 어루만질게

SH.IN, 해운대 Galaxy Z Flip5 2024. 05.

개구쟁이 어린 시절

빨간 벽돌 가져다가 동글동글 매끄러운 돌로 가루를 만들고, 신발 옆에 삐죽 나온 이름 없는 풀 뽑아다 돌로 콩콩 찧었다. 옆집 사는 주인집 아들놈이 대문 틈으로 머리만 삐죽 내밀며, 자기 땅이라고 하지 말라 한다. 우리 오빠보다 더 쬐그만 게. (전라북도 방언_조그만 게)

“같이 아빠, 엄마 놀이하자”하니 조그마한 배를 불쑥 내밀며,
“여보, 회사 다녀왔어!!”한다.

진작에 그럴 것이지.

“여보, 오늘 많이 힘드셨죠? 지금 당신이 좋아하는 김치전 만들고 있어요. 잠깐 기다려봐요.”

하며, 빨간 벽돌 가루와 콩콩 찧은 풀을 섞어 넓적한 돌 위에 올려 두고 먹으라 한다.

머뭇거리는 주인집 아들놈이 작은 눈을 동그랗게 뜨며 쳐다보는 꼴에 웃음이 나지만 난 아무렇지도 않은 듯 ‘호~호~’ 불어 입에 넣어주는 척하고, 주인집 아들놈은 ‘쩝쩝’ 소리 내며 먹는 시늉을 한다.

아련한 기억
그렇게 소중한 추억 한 조각에
삶을 어루만지고
바람 소리 지나간다.

I miss You

널
처음 만난 날

너의 존재는
아무것도 아니었다

나를
처음 만난 날
너의 머릿속은
어지러웠다

서로 다른 공간에서
다시 만난 우리
서로 다른 시간 되어
강을 이루고

밤하늘
나그네 은하수가 되어

너는
내가 되고

나는
네가 된다
I miss You

너를 다시 만나

확 트인 고속도로, 시원하게 달리는 자동차 스피커에서 들리는 라디오 사연들. 힘든 육아 고민, 반복되는 하루 일들, 그리고…. 흔하지 않은 이별 이야기다. 남편과 애틋했던 소소한 일상들이 밤하늘의 별…. 시린 한으로 남았다 한다.

감정이 북받치고, 얼굴 위로 눈물이 주책없이 무릎 위로 떨어진다. 눈물은 호수 되어, 어깨 위를 넘실거리다 들썩이는 어깨 위를 계속 휘. 휘. 젓는다.
남편이 사라진다면…. 상상할 수도 없다.

나에게 남편은 여린 복숭아처럼 어린 핑크빛 만남이었다. 25살에 만나 25년을 살았네. 날 이렇듯 귀하게 여긴 남자는 없었다 앞으로도 없을 남자, 자상하고 말이 없던 남자는 25년 한 번의 다툼도 없던 남자다.

다음 세상에도 나와 결혼해 주면 다시 살자는 말에 대답 없던 남자였지.

그래, 이번 생은 미련 남지 않게 사랑할게요.
그리고, 다음 세상엔 다른 사랑에게 보내 줄게요.
결국, 당신 옆자린 내가 아니겠지만

다음 생에도
너를 다시 만나
난, 당신에게 다른 깊이의 사랑이 되겠어요.

통곡

용암을 뿜어내듯
땅 위 아지랑이 올라오고
사무치게 그리웠던 네가 왔다

거친 숨소리 휘몰아치며
잔뜩 움츠린 울분을 토해내듯
거침없이 몰아세우는 너

애타게 그리워하고,
애타게 찾아 헤맸던
거친 숨소리와 함께 왔구나

혼자 올 수 없었던 거지….
한숨 토해내고 가만가만
애달팠던 네가 생각나

멀 건 눈망울로
숨죽이며 안아본다

들썩이는 어깨너머
마중 나온 아지랑이
희미하게 사라진다

길게 누운 고목나무

벌써 얼마나 시간이 흘렀을까
메마른 땅이 쩍쩍 갈라지고,
길게 누운 고목나무숲에선
마른 비명이 들린다

부끄러움을 몰랐던 어린 시절
팬티 하나 남기고,
차가운 개울물에 첨벙첨벙
물이 뚝뚝 떨어지는
수박 한 입 크게 베어 물면
세상을 다 가진 듯 그렇게도 신나

그렇게도 신났던 어린 시절
그렇게도 좋았던 어린 시절
개울물은 어디 가고
돌덩이만 남았구나

시원한 바람이
토라진 친구와 함께 왔다

여기 이곳
너의 울분 토해내렴

잠시라도 괜찮으니
나와 쉬었다 가렴

감사합니다, 또 오세요

내리는 택시 안에서 잔돈을 받으며 대답했다.
"감사합니다, 또 오세요!"
아이고….
추운 겨울 부모님 몰래 시작한 18세 첫 알바는 그렇게 시작됐다. 얼마나 재미있으면, 얼마나 열심히 했으면 모든 대답이 '감사합니다, 또 오세요.'였다.

아침밥을 먹는 내 수저에 잘 익은 깍두기를 올려주며 엄마가 웃는다. 웃는 엄마를 보며 나도 따라 웃는다. 웃으며 신난 딸에게 아빠가 말한다. 잠꼬대가 심해졌다고. 순간 숨 쉬는 걸 잊었다.
"학교 다녀오겠습니다."
헐레벌떡 신을 신는 나에게 오빠가 말한다.
"감사합니다, 또 오세요."

다리 밑에서 주워왔다던 계집아이, 방 모퉁이 고양이 울음소리와 함께 남자의 손끝에서 탯줄이 잘렸다.
'아빠다!'
그렇게 50년 세월을 흘려보냈다.

복숭아 꽃잎 같던 큰아이를 품에 안고, 가시밭 메마른 길 사경을 헤매던 둘째를 품고, 내 고난을 위로해 준 남편을 두 손 뻗어 꼭 품었다.
"감사합니다, 또 오세요."

품

학원을 빠지고 나간 시내 구경은 너무나도 달콤하고, 재미있었다. 자주 오는 시내지만, 보고 또 봐도 매일매일 바뀌는 듯 다른 세상이다.

[아르바이트 모집 (0명)]

이름도 생소한 [버거킹] 여기도 햄버거 가게라고 한다. [아르바이트 모집]이 머릿속에서 떠나지 않는다. 무슨 용기인지 학원을 또 빠지고, 면접을 봤다. 한 번에 착!! 붙었다. 시급도 3500원! 너무나 큰돈이다. 즉석 떡볶이가 1000원인데, 3500원이라니. 벌써 부자가 된 것 같다.

고2. 생각이 없는 거지…. 철이 없는 거지…. 그래도 하고 싶지…. 어떡하지…. 유니폼을 받아 들고, 신이 나서 집에 왔지만 말할 용기가 나지 않는다. 없는 살림에 학원까지 보내 주셨는데, 땡땡이치고, 알바라니.

그래도 너무 재밌는 알바다. 한 달이 지나고, 메뉴를 익힐 때쯤 캐셔(주문받는 스텝)로 등업 됐다. 매니저가 된 것 같아 더욱 더 열심히 했다. "어서 오세요, 버거킹입니다." 손님이 문 쪽으로 나가면 "감사합니다, 또 오세요."한다.

야간 아르바이트가 결근으로 대타하다 새벽 2시에 퇴근하던 날. 집 앞에 내리는 택시에서 기사님이 꽁꽁 언 내 손바닥에 잔돈을 주신다. 예의 바른 난! 그냥 내리지 않는다.

"감사합니다, 또 오세요!!"

헉…. 당황한 나를 보고, 기사님이 웃는다.

"네네, 다음에 또 봐요."
얼마나 재미있으면, '감사합니다. 또 오세요.'가 생각도 없이 입 밖으로 나온다. 이런….
아침밥을 먹는 내 수저에 잘 익은 깍두기를 오려주던 엄마가 날 보고 자꾸 웃는다.

"내가 그렇게 귀여운가? 자식 입에 들어가는 것만 봐도 배가 부른다던 어머니다." 웃는 엄마를 보며 나도 따라 웃는다.
웃으며 신나 딸에게 아빠는 잠꼬대가 심해졌다고 장난치듯 오빠랑 날 쳐다본다.
이크…. 들켰다…. 헐레벌떡 신을 신으며,
"학교 다녀오겠습니다." 하자 오빠가 웃으며
"감사합니다, 또 오세요."

다리 밑에서 주워 왔다는 계집아이는 방 모퉁이 고양이 울음소리와 함께 남자 손끝에서 탯줄이 잘렸다. 엄만 병원에 가지 않고, 집에서 오빠와 나를 낳았다며 항상 자랑스럽게 말씀하시곤 했다. 그러면서도 다리 밑에서 주워 왔으니 크면 엄마 찾아가라 한다. 커서 생각해 보니 엄마 다리 밑에서 나온 게 맞네.
그렇게 내 나이 벌써 50.

50년 세월을 흘려보냈다.
감사합니다. 고맙습니다. 사랑합니다.
그 의미를 아는 나이가 되었다.

25살에 결혼해 27살 소중하고 사랑스러운 딸아이는 새끼 원숭이처럼 쪼그마한 얼굴로 입만 벙긋벙긋했다.
복숭아꽃 잎 같던 큰아이를 품에 안고, 유리처럼 깨질세라, 곱디

고운 몸에 금이라도 생길세라 고이고이 눕혀 이곳저곳 밤새 동화 속 세상에 돌아다녀도 졸린 지 모르고 살았다.

3년 뒤 종갓집 맏며느리 아들 낳아 경사라 하며 신이 나던 시간은 한순간 가시밭 메마른 길 되어 사경을 헤매고, 죽을 고비 넘나들며 애를 태웠다. 눈물 마르지 않고, 병원이 집처럼 편했던 시간은 기나긴 명줄이 되어 하루하루 소중하고, 행복하게 그렇게 감사함과 소중함을 알게 했다.

말이 없던 남편은 목구멍까지 차오르는 눈물을 억지로 삼키며, 마르지 않던 내 눈물을 닦아주었고, 포근한 가슴을 내주었다. 언제든 쉬고 가라며….

복숭아꽃 잎 같던 큰아이를 품에 안고.
가시밭 메마른 길 사경을 헤매던 둘째를 품고,
내 고난을 위로해 준 남편을 두 손 뻗어 꼭 품었다.

"감사합니다, 또 오세요."

미래의 나에게

지금은 누굴 위해 살고 있니
지금은 너를 위해 살고 있니

바람이 불면 바람이 부는 대로
비가 오면 비가 오는 대로
눈이 오면 눈이 오는 대로

따뜻한 외투 입고
비를 막을 우산도 쓰고,
발자국 내는 눈길도 걸으면서

시간을 거스르지 않고,
그렇게 살고 있니

애쓰지 않고 살고 있니
기대고 살고 있지 않니

모든 것
다
훌훌 털어버리고
그냥 그냥 살아가고 있니

Sh.Hwang. 제주 Galaxy 24 2024.05

10장

샘물처럼 흐르는 노래

황선희

샘물처럼 흐르는 노래

작가 황선희

작가의 사명

푸른산호초

작고 소중한 너

당신의 첫사랑은 안녕하십니까

늘 그리운 이름

입례

가장 듣고 싶은

노래

시시한 삶은 없다

독서 토론은 왜 할까

함께 나누는 삶의 기쁨

피크닉 단상

긴 호흡으로 가자

작가의 사명

메마른 사막에서 감춰진 우물을 찾아 드디어

그 물을 마시고, 그 감동을 함께 나누는 것 ;

푸른산호초

가볍게 흔들리는 구름 사이로
푸른산호초가 너울거려
겨울은 추운 건데

하늘은 파란빛
태양은 머리 위에
눈을 감으면
이곳은 낙원인지
겨울은 추운 건데

너를 만난 그날
겨울은 추운 건데
춥지 않아
이제 나는

그곳엔 푸른산호초

작고 소중한 너

너를 만난 그날
하늘은 바다처럼 푸르고
구름은 마치 산호초처럼 일렁였지
사막이 아름다운 건
어딘가 우물을 숨기고 있기 때문이야
겨울 하늘이 눈이 부신 건
태양처럼 찾아온 네가 있기 때문이지
엄마! 라고 불러주는
예쁜 딸이 있어
나는 엄마가 된다
작고 소중한 너
이제는 엄마 옆에서
같은 노래를 흥얼거리는
작고 귀여운 소녀

당신의 첫사랑은 안녕하십니까

잊어야 한다는 마음으로
첫사랑을 버렸습니다

버려야 산다는 생각으로
첫사랑을 지웠습니다

당신의 숨으로 태어나
당신의 피를 움켜쥐고
당신의 살덩이를 끌어안고
당신을 사랑하며 울음을 토하던
나는

삶의 저편에서
가쁜 숨을 뱉어내는
초라한 당신을

남국의 태양처럼
따가운 당신의 언어를

다시
사랑하려 합니다

버릴 수도
지울 수도
없음을 압니다

당신은
나의 처음 사랑이기에

늘 그리운 이름

숟가락 두벌과 작은 장롱으로 시작한 살림
스물다섯의 아내는
아들 하나 딸 둘을 낳고
세 남매의 엄마가 되었지요

신김치 한입에 입덧이 끝나더라
고데기로 말아 올린 머리
화장기 없는 말간 얼굴
당신의 젊은 얼굴이 기억에 선합니다

그대의 살을 비비며
그대의 젖을 받아먹으며
그대가 준 사랑 덕분에
나는 주렁주렁
새로운 가족을 만들어
사랑하며 살고 있습니다
힘든 세월 잘 살아내 줘서
고마워요
내 삶이 바쁘다는 핑계로
자주 연락하지 못해 미안해요
미안해요
미안해요

입례

작은 점들이
모여 선을 이루고
쪼갤 수 없는 시간들이
영원을 만든다

아침을 깨고 나온 그 소리
주를 예배하자
너의 믿음이 담긴
신앙과도 같았던
그날
너의 미소

눈부신 너의 웃음

가장 듣고 싶은

네가 가장 듣고 싶은 노래는?
네가 가장 부르고 싶은 노래는?
네가 가장 즐겨 듣는 노래는?
네가 가장 사랑하는 노래는?
이 순간
한 곡만 들을 수 있다면?

당신의 노래는 무엇인가요?
당신에게 신앙과도 같은 노래는
무엇인가요?

느낌이 오는 순간이 있습니다
내 마음에 기적이 찾아오는 그 느낌

우리가 음악을 공유했던 그 순간, 그 기억들

노래

물고기를 잡으며
사랑하며
살다 죽은
노르웨이의 어부는
나의 아버지
그도 한때는 수줍은 청년이었다

산걸까
죽은걸까
이생과 저생은 하나가 되어
노래가 된다

특별한 노래
다시 듣고 싶은 노래

쉼표가 가득한
그의 노래에 찍힌
마침표

시시한 삶은 없다

할아버지와 아버지가 어부였듯
어부가 되어 물고기를 잡으며 살다 죽은 요하네스처럼
우린 태어나서
살기 위해 일하고
살아남기 위해 사랑하다
결국 죽습니다

당신이 왜 태어났냐고 누가 묻는다면
나는 나만의 노래를 부르기 위해서라고 답하고 싶습니다
나의 아버지 나의 할아버지와 나의 할머니……
먼저 가신 그분들도 자신의 노래를 부르셨겠지요
언제까지라도 다시 들어보고 싶은 노래들

우리의 인생이 노래라면
나는 내 노래를 사랑하겠습니다

시시한 노래는 없어요
시시한 삶은 없는 겁니다

독서 토론은 왜 할까

사랑하지 않음과
복종하지 않음
뭐가 더 열이 받나요?

코딜리어의 대답은
이 프로 부족한 그녀의 대답은
불행의 시작이었나요?

마음을 담아
정성을 담아
사랑을 표현해주세요

부글부글
끓어대는 질투에
욕망에

지혜의 노래를
사랑의 노래를

함께 나누는 삶의 기쁨

독서 토론 2년 차
동네 주민 여섯 명이 모여 2주에 한 번
읽은 책을 두고 이야기를 나눕니다

작가의 의도는 무엇인지
나는 어떻게 이해했는지
당신은 어느 부분이 인상 깊었는지
이유는 무엇인지
작품의 배경을 공부하고
작가의 인생을 탐구하고
깊이 책 속으로 빠져듭니다

진실은 무엇일까
가까이 다가온 걸까?

모르겠다
하지만 하하호호 즐겁습니다
무엇보다 달콤한 독서 토론 시간입니다
우리는 좀 더 깊은 모임입니다
셰익스피어 님
코딜리어는 어떡할 거예요!

피크닉 단상

등장인물:아빠(42) 엄마(37) 큰아들(10) 딸1(8) 딸2(6)
장소:대전시 도립공원 보문산
언제:1978년 봄 일요일
목적:가족 나들이
교통수단:택시
식사:집 김밥, 보리차
놀 거리:보문산 전망대, 놀이공원 구경

아지랑이가 피어오르는 1978년 봄, 젊지도 그렇다고 늙지도 않은 부부는 아이 셋을 택시에 욱여 태우고 보문산에 간다. 밥과 보리차가 들어있는 가방은 무겁지도 가볍지도 않다. 아이들은 콧노래를 부르다 간절한 얼굴이 되어 오늘은 놀이동산에 가달라고 졸라댄다. 엄마는 가벼운 주머니를 느끼며 오늘도 안돼! 하며 꽤 단호한 모습이다. 큰 두 아이는 엄마의 말에 아랑곳없이 씩씩하게 좁은 산길을 오른다. 나뭇가지를 꺾어서 지팡이도 만들고 긴 칼도 만들어 싸우는 모양도 내면서. 하지만 여섯 살 막내의 머릿속엔 산꼭대기 끝까지 올라가는 놀이공원 비행기며, 물고기가 있는 연못 속을 빙빙 도는 환상적인 보트며, 지난주에도 못 타고 온 것들에 대해 아쉬움이 가득하다. 떼를 쓰며 뒤로 쓰러져 보기도 울어도 보지만 가벼운 주머니를 이길 수는 없다.

막내는 아직 오르막 산길을 못 올라간다, 토라진 아이의 마음이 다리에 힘을 빼라는 심보를 만들었는지도 모르겠다. 젊지도 그렇다고 늙지도 않은 아빠는 넓은 등에 여섯 살 막둥이를 업는다. 아빠 등에 업혀 산길을 오르는데, 아슬아슬하고 조마조마한 게 막내는 아빠한테 괜히 미안한 마음이 든다. 산등성이 완만한 곳에 자리를 잡고 집에서 간단하게 싸 온 김밥을 나눠 먹는다. 맨밥에 고춧가루 넣은 간장으로 간을 맞춘 경상도식 엄마 손 김밥과 보리차로 맛있게 요기를 하고, 길을 서둘러 보문산 전망대까지 가본다. 아, 그곳은 사람보다 비둘기가 많던가. 아니 사람도, 비둘기도 많았다. 동전을 넣고 대전 시내를 구경할 수 있는 망원경이 있다. 세 남매가 망원경으로 돌아가며 구경하는데 딸깍. 하고 아쉬운 소리가 난다. 망원경을 뒤로하고 비둘기에게 건빵 몇 개를 나눠 주며 신이 난 아이들이 깔깔댄다. 나도 배부르니, 너도 배부르게 먹으렴! 아이들의 명랑함에 부부가 같이 웃어본다. 아이들이 있어서 웃는다고. 말한다. 또는 생각한다. 조르고 징징대던 막내도 언니 오빠와 같이 뛰면서 신이 나는데 보는 사람도 신이 날 지경이다. 한낮의 햇살은 뜨겁고 목이 말라 보리차를 마신다. 마시고 또 뛰고, 넘어지고, 웃다 보면 해가 산 너머로 지는 시간이다.

어서 집에 가서 저녁밥을 해 먹여야지. 부부는 바쁜 마음이 된다. 집에 오는 길 막내는 피곤함을 이기지 못하고 쿨쿨 잠이 든다. 엄마가 끓인 구수한 된장찌개 냄새에 겨우 눈을 뜨고 밥 한 술을 입에 넣고 다시 단잠에 빠져든다. 큰애도 둘째도 피곤한 모습이다. 세수를 시키니 눈꺼풀이 무겁다.

앗싸, 오늘은 빠른 육아 퇴근이다.
부부는 설레는 마음이다, 아빠와 엄마가 사랑하는 가난한 집에서 아이들의 고단한 잠소리가 들려온다. 아이들이 있어 행복했던 시간에서 아이들이 잠든 행복한 시간으로 이동. 다음 주도 보문산이다.

긴 호흡으로 가자

삶이 너무 길다고 푸념하는 너
어깨에 긴장은 풀었니?
허리도 숨에도 힘 빼보자.
힘 빼고 쓰는 거지.

주연급 배우가 안 된다고 실망하지마.
70대에 여배우는 세계적인 영화제에서
여우 조연상을 받았지.
네가 중요한 무엇이 되어야 한다고 애써 발버둥 치지 않아도
너는 이미 네 아이의 '엄마'가 되었고
네 남편의 '아내'가 되었고 황선희, 네 인생의 주인공이지….
모두가 세상의 주인공이 될 순 없겠지
다수가 주목하지 않는 조연이어도 괜찮아
아니 지나가는 사람이어도 그 사람만의 배역이 있는 거니까
자신의 역할에 충실한 순간 빛을 발하는 것 아닐까?
너만의 인생을 살렴
네 인생의 주인은 너니까

책 쓰기를 마무리하면서

이 책이 마무리되면서, 나는 다시 한번 나의 내면을 들여다봅니다. 절망에서 시작된 여정은 마치 어둠 속에서 한 줄기 빛을 찾아가는 길처럼 느껴졌습니다. 삶의 무게가 때론 너무 무겁게 다가와 무너질 것만 같았지만, 그 속에서 작은 희망의 씨앗이 자라났습니다. 그 씨앗은 바로 우리의 이야기 속에서 피어난 위로와 공감의 감정입니다.

이 글들을 통해 나는 나 자신과 대면하는 용기를 얻었고, 또 다른 이들과의 연결고리를 발견했습니다. 우리의 고통은 결코 혼자만의 것이 아니며, 그 속에서 벗어나고자 하는 갈망 역시 모두가 함께 나누는 마음임을 깨달았습니다. 비록 삶은 여전히 불완전하고 때로는 고통스럽지만, 그 안에서 작은 빛을 찾아내어 함께 나아가는 여정이야말로 우리가 살아가는 이유가 아닐까 생각해 봅니다.

어쩌면 이 책을 읽는 당신도, 나와 같은 절망 속에서 길을 잃었던 순간이 있었을 것입니다. 그리고 이 책이 당신에게 작게나마 위로가 되어, 다시금 삶의 아름다움을 발견하는 데 도움이 되었기를 바랍니다.

마지막으로, 지금 이 순간에도 이 글을 읽고 있는 당신에게 전하고 싶은 말이 있습니다.
"당신은 혼자가 아닙니다. 그리고 당신의 삶에는 여전히 희망이 존재합니다."
감사합니다. **<김선경>**

좋은 선택,
좋은 시간,
좋은 기억이었습니다.
좋은 삶으로 만들어 가겠습니다. **<김신옥진>**

마음속에 웅크리고 있던 이야기를 펼치기 시작한 7월 어느 날, 나를 표현하는 가장 좋은 방법은 글을 쓰는 것이었다.

마음속의 다양한 감정들을 일목요연하게 정리해 말하는 것이 어려운 것처럼 글로 마음을 표현하는 것도 어려웠다.

누군가에게 보여주기 위한 글을 쓰기보다, 내 마음을 스스로 정리하고 돌아볼 수 있음을 알았을 때 글이 조금씩 쓰이기 시작했다.

일상의 어느 일부분을 떼어와 그것을 녹여내거나, 지나가다 눈에 띈 무언가에 꽂혀 글을 쓰기도 했다. 펑 터질 만큼 커다란 감정과 우울할 만큼 어두운 생각을 글로 써 내려가며 나의 마음을 표현할 수 있는 단어를 곰곰이 헤아리고 깔끔한 문장을 만들기 위해 사색에 빠지는 순간들 속에서 나는 한발 나아감을 느꼈다.

나는 내 마음을 정확하게 표현한 적이 있던가.
나는 내 마음을 정확하게 이해하고 있던가.

마음을 표현하는 건 언제나 어렵다. 나를 다독이며 생각을 정리하고 몇 번의 수정을 반복하고 나면 나는 내 마음을 정확히 이해하게 된다.

이 글들은 나의 마음과 생각을 정리한 것들이다. 나란 사람이 누구인지, 어떤 사람인지 내보이는 것이 두렵지만 용기 내어 글을 썼다. 바라는 건 읽는 이의 마음에 조금이나마 공감을 불러일으키는 것이다.

삶이 어떻게 흘러갈지 알 수 없지만 글을 쓰는 지금 이 순간에 나는, 어제보다 더 나은 사람이 되어 가고 있음이 기쁠 뿐이다. **<김주연A>**

감상평을 포함한 시 9편과 에세이 1편을 한 달 반 만에 써냈습니다. 주어진 짧은 시간 안에 나의 마음을 시로, 에세이로 펼쳐내고 사람들 앞에서 교정할 틈도 없이 읊었습니다. 정신없이 휘몰아치는 이 과정에서 제 날것의 마음을 꺼내어 눈 질끈 감고 바라볼 수밖에 없었고 처음에는 이 상황이 몹시 불편했습니다. 저는 검증하고 수정하는 것에 익숙한 완벽주의자이기 때문이지요. 솔직하지 않다는 말이기도 합니다. 그런데 놀라운 것은, 제한된 시간에 글을 쓰니 글이 더 잘 써지더라는 것입니다. 내 머릿속의 방해꾼이 움직일 틈이 없었어요. 솔직한 그대로의 나를 만날 수 있게 해주신 윤정현 선생님, 김현주 선생님, 주미란 선생님께 진심으로 감사드리며, 동행해 준 수강생 여러분께도 고마운 마음을 전하고 싶습니다. 라이팅테라피 과정 수료한 우리 모두 축하해요. **<김주연B>**

감상 시를 쓰면서 본격적인 객관화를 시작했습니다.
스스로의 시를 객관화하는 작업은 차츰

스스로의 삶을 객관화하는 작업으로 이어졌습니다.

처음 맛보는 따뜻함이었지요.
내면 아이가 징징거리는 소리를 듣고는
"그만, 뚝!"
랩탑을 덮던 못난 어른이

저도 모르게 서서히
답시를 통해 그 아이를 토닥이고 있더군요.

끝은 또 새로운 시작인가요?
막 잉크 찍은 새 펜을 꺾어버렸던
오래전 그날 쓰러져 버린 아이에게도
조금씩 말을 걸어 보려 합니다.

각별한 오늘의 인연에 감사합니다. **<김지유>**

번아웃이 왔었습니다. 일 년이 좀 넘는 시간 동안 무기력함을 느꼈어요. 탈모도 진행되고 폭식으로 점점 살은 쪘으며 항상 누워있기만 하던 소파는 내려앉았습니다. 묵묵히 기다려준 가족들에게 고마움이 한가득합니다.

주기적으로 이 녀석은 찾아와요. 혹자는 제가 너무 열정적이라 그렇다고 하더라고요 에너지를 나누어 써야 하는데 한 번에 다 쓰기에 이렇게 쉽게 지치는 거라고요. 나눠서 써야 하는데 그게 쉽지가 않네요.

글을 다시 쓰기 시작했을 때 불안이 엄습했습니다.

'내가 다시 쓸 수 있을까? 수업에 가기 싫어서 빠지고 싶으면 어쩌지? 못한다고 연락할까?' 갖가지 생각들이 머릿속을 침범하고 핑계를 찾아다니기 바빴습니다.

다행히 수업 참여 80%를 채울 수 있음에 스스로에게 감사하고 칭찬합니다. 천천히 서두르지 않고 다시 시작하려 합니다. 너무 많은 것을 한 번에 하려는 욕심을 버리고 내가 소화할 수 있는 정도만 하려고 합니다.

여름이 시작되는 어느 날 만났고 여름의 끝을 함께 보고 있네요. 한 계절을 함께 하는 것은 커다란 인연이어야 가능하다고 생각합니다.

같이 수업을 들은 9명의 작가님.
즐겁고 행복한 수업을 만들어 주신 강사 선생님들께 인사드려요. 정말 감사합니다. **<김혜영>**

골목길.
한 장의 포스터.
거절 받을 준비된 마음이 시작이었습니다.
신청서를 제출하고 기다림은 반신반의하고 있을 때 반가운 연락을 받았습니다.
'라이팅테라피'
첨엔 무슨 뜻인지 잘 몰랐습니다.
'음악치료', '미술치료'는 많이 들어 봤지만 '라이팅테라피'는 뭐지?
그냥 글을 쓰고 싶었고, 글 쓰는 방법을 배우고 싶었을 뿐이었습니다.
마음을 담아서 글을 쓰고 싶었습니다.
[마음+마음=공감]의 공식이 더 풍성한 글을 만들고 나의 마음 그리고 우리의 마음을 위로해주었습니다.

저는 세잎크로바입니다. 아주아주 평범하죠.
'라이팅테라피'에서 네잎크로바 여러분들을 만나 많이 느끼고 배우고 갑니다.
감히 네잎크로바 여러분들과 책을 함께 낸다는 것이 미안한 마음 가득하지만, 희망을 버리지 않겠습니다.
지금은 제가 하얀 도화지에 크레용으로 글을 그리지만, 다음엔 물감으로 그다음엔 유화로 다양해지고 폭넓어질 것입니다. 이런 저런 사연으로 당신의 마음이 어렵다면 글쓰기를 통해 당신을 위로해주세요. 안아주세요. 당신에게 추천해드리고 싶어요.

인내로써 가르쳐 주시고 도움 주신 선생님들께도 진심으로 감사드립니다. 고맙습니다. **<박민원>**

오래전부터 하기로 선택하고도, 내내 미뤄왔던 책 쓰기를 이 더운 여름에 아주 아주 가볍게 시작했습니다. 책 쓰기를 가볍게 시작하다니! 가볍게 시작할 일이던가? 그러나 가볍게 시작해서 기꺼이 글이 시가 되고 편지가 되었습니다.

글을 쓰는 내내 그 순간의 내 몸과 마음을 감각하기 위해 정성을 다했습니다. 머리가 글을 쓴 것이 아니라, 온 몸과 온 마음이 글을 썼습니다. 그렇게 모은 시들을 읽을수록 내 몸과 마음의

70%는 찻물이고, 29%는 아빠, 엄마, 큰언니, 작은언니, 동생 그리고 에이스와 네 명의 조카들이며, 완성의 1%는 신의 선물들이라는 것을 알아차렸습니다. 나를 구성하고 있는 모든 것들이 나를 위하여 든든히 서 있기도 하고, 토닥이듯 노래하고, 환호하듯 춤을 추었습니다. 소중한 나의 사람들과 나의 것들이 한 편의 시가 되고, 한편의 감상문이 될수록 내 몸은 가벼워지고, 내 가슴 깊은 곳에서부터 묵직한 뜨거움이 피어올랐습니다. 가벼워진 몸으로 나비처럼 날아가 내 사랑들을 뜨겁게 안아주렵니다. “사랑합니다. 고마워요. 덕분에 내가 온전히 사람이 되어 가고 있습니다.”

나보다 더 나를 있는 그대로 사랑하고 지지하고 응원해주셨던 순간들이 시가 되었습니다. 이 모든 시를 내 사랑들에게 드립니다. **<이혜경>**

언제나 새로운 도전은 설렙니다.
두렵고, 겁나서 도망치고 싶을지도 모르지만 그러기엔 이미 나이가 인생의 반을 넘겼기에 겁이 없어진 지 오래되었습니다.

하지만 또 어떤 날은 가족이라는 울타리 속에 잃어버릴 게 많은 삶이라 조심하고, 또 조심하는 시간을 보내기도 합니다.

내 삶의 일부를 내보이는 것 같아 부끄럽고, 꺼내어 보여주는 페이지 한 장 한 장이 녹아내리지 않을까 염려도 됩니다.

생각의 조각들이 시가 되고 서로의 글을 함께 읽으며 눈물을 흘려 조력자가 되어준 우리 작가님들 모두 모두 감사드립니다.

라이팅테라피 책 쓰기 살롱이 없었다면 아직도 잠자고 있을 글들이 세상에 나올 수 있게 도와주신 해오름사회적협동조합, 행복스쿨 대표님들께 감사드립니다. **<인선화>**

내가 처음 쓴 시
세 번째 수업부터 참여한 나의 첫날 수업에
가족을 생각하며 시 쓰는 시간
나는 한 줄도 쓸 수가 없었다.
도대체 어떻게 살았는지
50년이 넘게 살면서
시 한 편, 아니 시 한 줄을 써 본 적이 없었다니…….
쏟아지는 비를 피해 들어간 문 닫은 호프집 입구에서
아픈 엄마와 통화를 하다가
엄마가 내 첫사랑이었다는 생각이 문득 들었다.
나는 초등학교 4학년까지 엄마 젖을 만지던
좀 덜떨어진 아이였다.

엄마는 요즘 안녕하지 못하시다
아니 안녕하실 때도 있다.

내 인생을 만들어 준 엄마
어설픈 나의 첫 시의 시작도 엄마였다.

아, 선희야…. 도대체 어떻게 살고 있는 거니.
요즈음의 이야기를 끄적이는 순간이
새로운 나를 만나는 순간이다. **<황선희>**

에필로그

'3' 우리나라 사람들이 제일 좋아하는 숫자라고 합니다. 언제부터인지 모르겠지만 나도 그 이야기에 동의하곤 합니다. 가위바위보를 하면 3번은 해야 한다고 하지요. 사람을 만날 때 첫인상도 중요하지만 적어도 세 번은 만나야 그 사람에 대한 알 수 있다고 합니다. '3'이라는 숫자는 어쩌면 다시 다가올 기회, 어쩌면 꽉 채울 수 있는 완벽함…,이 묻어있는 게 아닐까 싶습니다.

'라이팅 테라피 책쓰기 살롱'

해오름에서 책쓰기 과정 수업을 3번째 운영하면서 만나게 된 타이틀입니다. 한 해, 두 해를 거듭하면서 만난 분들의 글들에 가슴을 울리고 위로받으며 '라이팅 테라피'라는 말이 다가왔습니다. 글을 책에 담아가면서 온전한 나를 마주하며 아주 작아졌다가 시나브로 채워져 반짝여가는 나를 만나게 됩니다. 그 반짝거림이 하도 어여뻐 대견하다 토닥토닥해 줍니다.

처음 책쓰기 도전은 모두 자신 없다고 합니다. 어떻게 할 수 있는지 방법을 알고 싶어서 왔다는 분들이 대부분입니다. 하지만 두 달도 안 되는 일정에서 작가의 사명을 다지며 서로를 지지해 첫 작품을 세상에 내놓으려 탈고 전까지 부지런히 펜을 움직입니다. 차마 꺼내지 못했던 나와 내 주변의 이야기들을 책으로 써내려가며 울며 웃는 사연들을 '수요일의 하품'에 꾹꾹 눌러 담아낸 작가 10분의 산고의 끈적이는 땀을 닦아 드리고 싶어 바람을 불러 봅니다.

작가로 출발할 수 있는 무대,,,,,,의 바람
'함께' 에서 '나' 만의 책쓰기,,,,,,의 바람
책쓰기를 계속하는 꾸준한 성실,,,,,,의 바람

무덥고 습한 여름이었지만, 이제는 작가님들에게 불어오는 바람이 더 선선하게 느껴지는 건 알토란 같은 글들이 담긴 책을 마중 나가기 때문일 겁니다. 한 분 한 분의 글들이 마음에 다가와 너무나 소중합니다. 김선경, 김신옥진, 김주연A, 김주연B, 김지유, 김혜영, 빅민원, 이혜경, 인선화, 황선희 10분의 멋진 작가님들과 함께할 수 있어서 행복했습니다. 책쓰기 살롱 언제든 놀려오세요. 작가님들 덕분에 살롱이 풍요로워졌습니다. 작가님들의 '수요일의 하품' 출간을 축하드립니다.

하늬바람이 불어오는 어느 길가에서
바람을 마주하며
바람을 보내며

작가 주 미 란